國民會館叢書　別冊

國民會館の主張「金言」第2巻

# 武藤治太の「思うまゝ」

JN101233

《はじめに》

# 祖父の文章を読み、その偉大さを改めて痛感

公益社団法人國民會館会長　武藤治太

昨年國民會館のメールマガジンで會館の主張として、私が2012年8月から2020年2月毎月執筆した「金言」90篇の内22篇をまとめて「思うまゝ」という祖父山治の著書と同じ題名で大変面映ゆかったのであったが、上梓させていただいたところ幸い皆様に温かく受け入れて頂き、誠に感謝いたしている次第です。今読み返して見ると不備な点が多々あり一流の文筆家であった祖父の偉大さを改めて痛感しているところです。

その後「金言」も2021年6月で回を重ね107篇となったため、新風書房福山琢磨社長の後押しにより再度続編として21篇にまとめ改めて出版させて頂くことになった。

昨今我が国は、第二次世界大戦終了後国家として大きな曲がり角に立っていることは誰もが認めることであろう。中国の膨張はとどまるところは知らず、我が国は、一つ間違うと国家存亡の危機に直面しているといって差し支えない。私は「金言」を執筆していて兼ねてから考えているのであるが、最近の日本人の国家観の欠落を憂慮するものである。明治維新

以来我が国は列強の干渉を巧みに排除して「坂の上の雲」を目指して欧米先進国に追いつこうとした。日清、日露の両大戦にへとへとになりながらも当時の国際情勢に巧みに乗り勝利したのであったが、その後の軍国主義への傾斜はアメリカとの闘いとなり、一転敗戦となり明治維新以前までに逆転してしまった。幸い第二次世界大戦終了後はアメリカ、ソ連対立の冷戦時代となり、我が国はアメリカが押し付けた平和憲法のおかげで軍備は軽武装、防衛はアメリカに全面的に頼るという時代となり、只々　経済発展に注力し、気が付けば世界2位の経済大国になっていたのであった。

しかし、1991年ソ連邦が崩壊すると暫らくはアメリカの一強時代が続くがそのアメリカも中東やアフガンなどの問題でつまずき世界の警察官の地位から脱落して、今や世界的に中国の台頭アメリカとの拮抗の時代となっているのである。このような情勢のもと我が国は地政学上中国と近く、また北朝鮮という難物も控えており、我々の前途には大変厳しいものがある。「金言」を執筆していて何時も思うのであるが、我々日本人は、現状認識が甘すぎると痛感している。これは国民が近現代史ついて余りにも知らなすぎるからではなかろうか?今後私は既に一部取り入れているがこの現状認識の甘さを少しでも取り除くため近現代史に取り組んでいきたいと思っている。

# 目次

第１話

## 個別的自衛権と集団的自衛権

# 憲法解釈の変更により集団的自衛権容認を

２０１４年５月１日

集団的自衛権なる言葉が、いい出されてから本当に久しい。皆さん良くご承知のこととは思うが、国家の自衛権には個別的自衛権と集団的自衛権の二つがあると考えられている。個別的自衛権とは、自国が他国から攻撃されたり、あるいは侵略されたりした時に自国を守る権利であり、我が国の歴代内閣は個別的自衛権の保有は認めるが、集団的自衛権は、憲法第９条にてらして保有するが、行使できないとの憲法解釈が定着している。しかし、本当にそうなのであろうか。集団的自衛権行使反対の考えは、憲法第９条は必要最小限度の自衛権の行使しか認めていないから個別的自衛権は認められるが、集団的自衛権は不可ということなのであろう。

# 第一章　東アジアの軍事情勢下における抑止力強化は焦眉の急

## ◆第1節　現行平和憲法下、軍隊である自衛隊を保有する矛盾が露呈

しかし、ちょっと待ってほしい。憲法第9条は「戦争の放棄」「戦力の不所持」「交戦権の否認」の三つからなっているが「自ら戦争をしかけない」ことはわかるが「個別的自衛」は国際法上認められている権利であるし、問題は自衛隊こそ立派な軍隊であり、ここに、大きなまやかしがあるのではなかろうか。そもそも、この第9条は、後進国であった日本の目覚ましい躍進に手を焼いた欧米諸国が、日本の敗戦をチャンスととらえ、日本が二度と立ち上がれないように平和憲法なるものを押し付けたものであった。ところが戦後ソビエト・ロシアの勢力が急拡大し、冷戦が始まり、朝鮮では、あからさまな侵略が開始されたことにアメリカは愕然として、あわてて日本に憲法と矛盾する自衛隊なるものを、創設させたのであった。私からいわせれば、日本を叩きすぎたルーズベルト米国大統領の世界政策の大失敗であった。もう一ついわせて頂くと第二次大戦中に国共合作下の中国を全面的に応援したことも、今となっては同大統領の一大過誤であった。

## ◆第2節　先ず憲法解釈を変更し、次には憲法改正を

そうであるならば、憲法を改正して、自衛のための軍隊を公然と保持することこそ矛盾をなくする道なのである。しかるに憲法改正を党是として発足した自民党であったが、その後

どっぷりと現状に甘んじて、党是の実行をうやむやにして現在に至っている。最近ようやく憲法改正の気運が盛り上がってきたのは事実であるが、2年や3年で改正が進むとは思えないのが現状であろう。そこで安倍首相は、先ず憲法改正の手続きを定めた憲法第96条を改正して憲法改正をやりやすくした上で、第9条を含む改正を目論んだのであるが、96条の改正について反対の声が噴出したため、当面は改正を見送り、集団的自衛権行使が、できるようにすることを優先したのである。これには、今まで集団的自衛権行使を認めてこなかった内閣の憲法解釈を変える必要がある。

## ◆第3節　当然自衛権の範疇に入る双務的集団的自衛権

結論からいうと、我が国を取り巻く東アジアの情勢は極めて深刻な状況にある。私は、我が国にとって集団的自衛権の行使は必要なものと考える。そもそも自衛権は自衛権であり、同盟関係を結んでいる以上、個別とか集団とかの区別があるはずがない。我々は自分の国を守ることは勿論、同盟国に協力することは、当然ではないか。朝日新聞などが騒いでいるのは、祖国の自衛権をしばり、自衛隊の活動を制限しようとしているのではなかろうか。また「集団的自衛権の行使」という言葉に「何時でも戦争できるし、武力行使ができる」という馬鹿げた印象を植え付けているのが、朝日をはじめとする左翼マスコミである。何回もいうようだが、我が国を取り巻く東アジアの情勢は、軍備を急拡張し、太平洋への進出を図る中国、核開発に走る北朝鮮など極めて厳しいものがある。

# 第二章　傾聴に値するアーサー・ウォルドロン教授の衝撃的論文

さて、3月7日の日経新聞の「経済教室」の欄に注目すべき論文が掲載された。一般にはあまりこの論文の重要性に言及したものはないのであるが、さすがに桜井よしこ氏は、数日後の週刊新潮と産経新聞においてその重要性を取り上げていた。論文は、ペンシルベニア大学のアーサー・ウォルドロン教授によるもので、日米中関係について、我が国の米国との同盟過信は禁物という指摘である。もう少し詳しくその内容について触れると

## ◆第1節　太平洋への確かな出口を核心的利益とする中国の長期的戦略

(1) 中国は軍事大国化しつつあり、領土拡張のため、その力を行使する意欲を露骨に示している。

(2) 日本は国家安全保障上、二つの重要な問題に直面している。その一つは、中国の尖閣諸島の領有権主張である。中国が同諸島を奪取して軍隊を駐留させることができれば、周辺海域を軍事的に支配して、海軍を容易に沖縄と宮古島の間の広い海域を航行できるようになる。このような能力を中国海軍が持てば、沖縄本島から与那国島にいたる列島の日本支配を無効にできないまでも、極めて大きな脅威となる。

(3) 中国が、宮古島の北方海域に焦点を合わせているのは太平洋への確実な出口を求めているためだが、最近頻繁に行われている中国海軍の演習は、尖閣諸島またはそれ以上を奪取するための「短期決戦」に備えているものであると米国太平洋艦隊情報部は指摘している。

（4）同時に、中国は電撃作戦によってベトナム、フィリピンなどから島嶼を奪取しようとしている。
（5）日本は、この脅威に対して二つのことを実施しようとしている。先ず中国による日本領土奪取に備え自衛隊の能力を緩やかながら増強している。二番目は同盟国である米国に日本が不足している軍事力を提供することを期待している。

## ◆第2節　米国は中国重視に転換、日米同盟が有効性を保てるのはあと10年か

（6）しかし残念ながら米国は日本との間で安全保障条約を締結しており、これまではこの条約を完全に順守してきたにもかかわらず、ワシントンでは日本より中国の方が重要であると考える勢力が台頭してきている。
（7）日中間に武力衝突が起こった場合、米国政府が日本を本気で支援するより、中国との妥協を迫り、尖閣諸島の領有権を放棄するよう日本に促すのではないかが懸念される。その一つの証拠として米国が安倍首相の靖国神社参拝を一方的に非難し、国家が後押しする中国における反日デモについて一言も触れていないことなどが挙げられよう。
（8）これらのことから導き出される結論は明白である。日本は米国の行動にかかわらず自らの領土を自らの手で守れるように、今すぐ軍事力を持つ必要がある。
（9）現在中国に脅かされている日本やその他のアジア諸国の領土は当面は確保できると思われるが、その有効性をどれだけ保てるかについて、私はおそらく10年間とみている。
（10）中国は、その間に軍備の増強を続け、いずれ相手の防衛力を圧倒する力を持つことは

明白である。と同時に米国の軍事力は着実に弱まっていく。

(11) 今でさえ、米国は一度にせいぜい一つの戦争を遂行する能力しかない。そうであるならば、例えば米国が中東との戦争に巻き込まれている時に、中国が日本その他を軍事侵攻したとしたら、米国の支援はほとんど期待できないのではないか。

## ◆第3節　日本は最小限度の核抑止力を含む包括的軍事力を有するべきだ

(12) 中国は10年後大量の通常兵器と核兵器を保有することになるであろう。第二次大戦後、米国の同盟国であるその他のアジア諸国は、最終的な安全保障を米国の軍事力と抑止力に頼ってきた。これは米国が核の報復を受ける可能性がある時には、核兵器を他国のために使用することを意味する。

(13) 私はこうした約束は守られないとみている。米本土に対する核攻撃以外の理由で、核兵器を使用する米国大統領はいないであろう。

(14) 米国の最も古い同盟国で、かつ米国のことを知っている英国やフランスもこの考え方に立っている。いずれも核攻撃を受けた際、米国が守ってくれるとは考えていない。

英国は、核弾頭ミサイルを搭載する原子力潜水艦を3隻保有しており、内1隻は常時海中を潜航して、英国を攻撃する敵に壊滅的な打撃を与える態勢をとっている。フランスも同様な軍事力を持ち、この抑止力によって、他国から攻撃を受けないことを担保しているのである。

(15) 確かに、日本のミサイル迎撃システムはおそらく世界最先端をいくが、これは核攻撃の阻止には不十分である。英国やフランスに匹敵する安全保障体制はできていない。(16)日本は、大規模な通常兵器と核兵器を開発している敵対的な中国に対して、どのように対処していかなければならないか。(17)その問題に対する答えは明白である。中国は脅威であり、米国が抑止力を提供するというのは神話である。日本が安全を守りたいのであれば、ミサイル防衛システムだけでは不十分である。英国、フランスその他の国が保有するような最小限度の核抑止力を含む包括的かつ独立した軍事力を開発すべきである。

以上がアメリカ人の書いた衝撃的な現実である。

# 第三章　自分の国は自分で守る「抑止的軍事力」の補完的位置づけとしての集団的自衛権

## ◆第1節　早急なる「憲法解釈変更」を

これから考えて、集団的自衛権の容認などは当然早急に行われるべきことである。今回オバマ大統領の来日において、安全保障条約第5条の尖閣諸島への適用が米国政府の確約事項となった。さらに安倍首相の集団的自衛権に関する憲法解釈変更について、米国大統領は歓迎支持を表明したので、これについては早急に憲法解釈変更を行い、集団的自衛権の行使が速やかに行われるようにしなければならない。

## ◆第2節　「一国平和主義」の幻想は捨てるべき

集団的自衛権に関する憲法解釈変更について反対を標榜するマスコミでいちばんよくいわれるのは「集団的自衛権の行使をいったん認めてしまうと対外的な緊張が高まり、海外での自衛隊の活動範囲が際限なく拡がり、憲法第9条の平和主義の理念から逸脱してしまうのではないか」という考えであるが、この考えは極めて狭い一国平和主義の最たるものと思う。

## ◆第3節　「積極的平和主義」のためにこそ必要な集団的自衛権

先に掲げた論文の通り中国の経済的、軍事的な台頭は著しいものがあり、日本をはじめ国際社会を取り巻く安全保障の環境は様変わりとなっている。安倍首相は、日本の平和と国益を守るために国際協調主義に基づく「積極的平和主義」を基本理念に掲げた。すなわち積極的に国際社会の平和と安全に寄与することが、本旨である。このためには集団的自衛権行使は必要欠くべからざるものなのである。左傾マスコミは歯止めがきかなくなるとしきりにいうが、これは政府の政策判断や関係する諸法律、国会承認によって歯止めをかけ、限定的行使を打ち出せば解決できる問題である。

## ■終わりに　「秘密保護法」と表裏一体の集団的自衛権

最後に一言いわせてもらうならば、与党の公明党が集団的自衛権行使に反対している態度である。先般来問題となっている秘密保護法の制定に公明党は賛成した。考えてみるならば、この秘密保護法と集団的自衛権行使は表裏一体のものではなかろうか。片方には賛成、他方に反対とは前々からいわれる公明党の鵺（ぬえ）的な性格が感じられ釈然としないものがある。

第2話

集団的自衛権

# 朝日新聞の世論調査を嗤(わら)う

2014年5月13日

先に集団的自衛権について述べさせて頂いたが、その際、是非付け加えておきたいことがあった。然し余りに長くなるので割愛したのであったが、後で考えるとこのことは大変重要なのであえてペンをとった次第である。それは4月7日付で朝日新聞に掲載された集団的自衛権を含む世論調査のことである。各マスコミとも世論調査を定期的に実施しているのであるが、今回の調査には驚いた。

## 第一章　世論調査に悪乗りする朝日新聞

### ◆第1節　いつも左に振れる朝日の調査

朝日の調査は毎回産経、読売などと比較して極端に左（リベラル）に振れるのであるが、今回もまたかとその思いを強くした。最近の集団的自衛権の憲法解釈変更容認について、否定的なマスコミが多いのであるが、特に朝日、毎日などは、毎日のように容認反対を打ち出しているので今回の朝日の世論調査もかなり左に振れていることが予想された。

## ◆第2節　調査結果は案の定だった

即ち次のような結果だった。

1. 集団的自衛権が行使できない立場維持　63％
2. 憲法9条は変更しない方がよい　82％
3. 非核3原則は維持すべきだ　82％
4. 武器輸出の拡大に反対　77％
5. 今の憲法を変える必要はない　50％

## ◆第3節　大新聞を絶対視する一般読者に便乗している朝日

他のマスコミの世論調査においても以前よりやや集団的自衛権行使容認は減ってはいるが、産経、読売と朝日の間では相当なギャップがある。大体世論調査とは、あくまで非常に狭い範囲から集めるものである。一般の読者は、それを知らないから大新聞の調査だからと絶対視するきらいがあるので、そこは十分に注意する必要がある。

# 第二章　「世論調査」の問題点についてよく知ろう

## ◆第1節　ＲＤＤ方式とは

従来の朝日の調査方法は悪名高い「ＲＤＤ方式」（Ｒａｎｄｏｍ　Ｄｉｇｉｔ　Ｄｉａｌｉｎｇ…乱数番号法）であるが、それはコンピューターでの乱数計算をもとに電話番号を発生させて、電話をかけ、応答した相手に質問を行うもので、固定電話を対象に行うものである。この方式は、個別に直接面接して聞き取りをするわけではなく、アルバイトが、電話の前でつくられたリストをもとに機械的に電話をしてマニュアル通りの質問を繰り返して集計するだけであるから、当然専門の調査員による面接方法に比べ時間と人件費は節約できるが、不備な点も多くなるのである。

## ◆第2節　ＲＤＤ方式の重大な欠点を避けるため郵送調査へ

具体的にいうと、ＲＤＤ方式は固定電話を所有している家庭に限られているため、最近の若い人のように携帯電話などの移動式電話しか持たない人は、調査対象から外れてしまうという重大な問題がある。また調査時間と時間帯によっては、例えば平日の昼間に固定電話で対応できる人は、専業主婦などに限られるという重大な欠陥がある。最近これらのことがやかましく指摘されるようになり、朝日新聞も全国の有権者から３０００人を選び、郵送で調査を実施している。

### ◆第3節　然し郵送調査により大量質問による誘導尋問がやりやすくなった

今回の調査はこの方法によっているが、この方法も万全ではないといわれている。特に朝日の調査は50問という大量の質問を提示しているが、よくよく質問を読んでみると、朝日新聞が意図する結論へ誘導している質問が多いのではと疑われるのである。その結果が先に述べた五つの結論であるが、これも一つの見方なので、それはそれとしておこう。

## 第三章　国外にまで世論調査の害悪を振りまいて国益を害する朝日新聞

### ◆第1節　日本と同じ調査を韓国・中国で実施する吃驚仰天

しかし、私が吃驚仰天したのは、今回の調査は国内だけではなく韓国、中国に対してそれぞれ米国、中国の調査会社に委託して、日本国内と同じ質問を面接方式で行っていることである。対象者はそれぞれ１０００名である。相対立している国の中で、しかも、韓国はさておき、中国は言論統制が厳しく行われている一党独裁の国家である、そんなところでまともな答えが返ってくる訳がないではないか。

### ◆第2節　そして中国・韓国の思う壺の調査結果

集計の結果は次の通りとなった。

1．平和国家日本の姿に対して、戦後の日本が平和国家の道を歩んできたと見る人は、日本

では93％に達するのに、中国は36％、韓国は19％

2．今後日本は平和国家の道を歩むかとの問いに、日本は74％、中国21％、韓国は14％

3．中、韓両国は自衛隊の海外活動について「戦闘以外の分野での活動」の賛成は中国10％、韓国33％

4．安倍首相の進める集団的自衛権の行使容認についても、中国95％、韓国85％が「行使できない立場を維持する方がよい」と答えている。

5．靖国神社が、どんな存在かという質問には中国77％、韓国73％が軍国主義の象徴としているが、日本では64％が戦死者を追悼する場所としている。

6．中国の大国化は、アジアの平和と安定にプラスかマイナスかの問いに、日本はマイナス70％、中国はプラス86％、韓国はマイナス57％であった。

## ◆第3節　誘導された世論調査の結果について、敵対する中国・韓国に同意を求め国益を損なう売国的行為は許されない

さて、国内の世論調査は対象者が3000名だそうだが、3000名という数で、本当に国民の真の考え方の波を捉えられるのかどうかには疑問がある。それに私の周囲を見渡しても、これだけ各マスコミが調査を実施しているにもかかわらず、対象となった人は皆無である。私だけではなく、多くの人がそういっている。世論調査の謎である。最後に、朝日新聞が、国内で、世論調査の名を借りて朝日新聞的な考え方へ国民を露骨に誘導することはやめて欲しいと思う。また、わざわざ敵対する中国や韓国で世論調査を実施して、その結果を大々的にわざわざ紙上で報道して日本の国益を損なうことは、売国的な行為と思うが如何なもの

であろうか。

## ■終わりに　問われる安倍首相を含めた政府の国民への丁寧な啓蒙

そして私は朝日新聞の世論調査が正しいとは思っていないが、一方安倍首相を含めて政府は、もっと直接国民に集団的自衛権の行使容認について、何故それが現下の東アジアの情勢のもとで必要なのかわかりやすく語りかけていかなければならない。その点私は政府の姿勢は極めて不十分だと思っている。一般大衆はかならずしも国際情勢を熟知しているわけではない。新聞の影響力は以前ほどないかも知れないが、テレビの左傾コメンテーターは毎日したり顔で、集団的自衛権に関する憲法解釈の変更は、海外への歯止めのきかない派兵を許すものであるとか、戦争に巻き込まれるなど根拠不明のことを叫んで国民を惑わしている。この際政府は十分な広報活動に力を入れ国民の啓蒙に専心努力しなければならない。

第3話

与野党の政府大詰め

# 安全保障関連法案の採択

2015年9月14日

世論調査では、集団的自衛権に関する安保法案への支持が今一つ広がらない中で、与党は安全保障関連法案の成立を今月17日に目標をおいているが、いよいよ法案成立と、それを阻もうとする与野党の攻防は、大詰めを迎えようとしている。

## 第一章　反対のための反対を叫び民主主義の基本ルールを破壊しようとする野党

与党の参院平和安全法制特別委員会で採決に踏み切った場合、野党はあらゆる手段を講じ徹底抗戦で存在感を示す考えのようであるが、野党民主党の中ですら、ただ「何でも反対の万年野党に逆戻りすれば、ただでさえ政権担当能力に欠けると批判され、国民からそっぽをむかれている民主党への政権交替は、益々遠のくばかりだ」との懸念の声が聞こえてくる。また、維新の中は決して一枚岩といえず、唯々反対のための反対として、例えば内閣不信任案などには懐疑的な動きさえある。9月13日の新聞報道によれば、野党はあらゆる手段を駆使して参院本会議での成立を阻む考えのようである。具体的には「平和安全法制特別委員長の問責決議案」「議院運営委員長解任決議案」次いで「議長の不信任決議案」「防衛相、外相らの問責決議案」等を相次いで上程して、それらが否決されると最後に「内閣不信任決議案」を上程して、日程が残り少なくなった参院でこの法案の時間切れを狙っているのである。今述べたことは、誠に国会議員のなす業として馬鹿馬鹿しい話ではあるが、ルール上これらの決議案は、一般の決議案より優先するから、どうしても一決議案あたり3時間を要するとのことで、仮に否決されても時間稼ぎができるわけで、抵抗姿勢であることを訴える効果がある。野党は、各決議案の趣旨説明に長い時間をかけて、議事進行を遅らせることを目論んでいるのである。また、本会議での採決については、出席議員の五分の一が要求すれば記名採決にできるので、その場合は議席から投票箱までゆっくり歩く、かつて社会党がとった牛歩戦術も考えられるのである。

## 第二章　尖閣を核心的利益とする中国の軍事脅威に全く脳天気な野党

私は、現在の東アジアの情勢を考えた時、集団的自衛権を行使するための「安保法制」は間違いなく必要であると考えている。皆さん9月3日に北京の天安門前で繰り広げられた軍事パレードについてどう考えられるか。その内容については、兵器の相当部分が過去に登場したものの改良で、中国側の発表80％以上が新兵器ということについて疑問を呈する向きもあるが、中国の軍事力は確実に向上しているのは、否定することのできない事実である。最近の新しい情報によると、中国海警局は尖閣諸島への圧力を強めるため、尖閣の対岸、距離にして356キロメートルの浙江省の温州に、新たに1万トン級の大型警備艦6隻が、停泊可能な大型基地を計画しているとの報道がある。そしてすでに1万トンの警備艦を2隻建造中とのニュースもある。このことは、尖閣は中国の核心的利益で、絶対に自己のものとする固い意志が、明白であると考えられるのである。

# 第三章　平和は、憲法9条ではなく日米安保により維持されて来たことが真実である

## ◆第1節　全く見当違いで、戦争法案と叫ぶ愚かさ

このような状況の中で唯々憲法9条を死守し、専守防衛に徹する、今回の「安保法制」は「戦争法案」だ、「徴兵制度」も間違いないなどという馬鹿げた理論を展開しているのが、民主党を中心とする野党なのである。前にも触れたが、戦後70年間我が国に平和が保たれてきたのは、あくまで日米安全保障条約が存在していたからである。憲法9条があったから平和が保たれてきたなどというのは、間違いもはなはだしい。野党は、事あるごとに自民党の対米追従、平和の危機をあおりたてる。

## ◆第2節　現行安保法をつくった吉田・岸両氏の英断を思い起こそう

それでは過去においてどうであったか考えてみたい。吉田茂氏は単独講和を多くの反対を押し切ってなしとげた。これは日本の国際社会への復帰をいち早くはたした。岸信介氏は周囲の強力な反対を押し切って、米国の日本防衛義務のなかった日米安全保障条約の改正に踏み切った。その当時１９６０年（昭和35年）安保改定は亡国といわれたのだが、どうだった

であろうか。何回も言うようだが、この改定により日本の平和が維持されたことは間違いない事実である。至近の例をあげるならば、もうすでに国民が、「ああそんなことがあったのか」と思っている「秘密保護法」に対する野党、マスコミの反対は一体何だったのであろうか。今ではこの法律が「知る権利」を犯しているなどとは、どのマスコミも触れなくなってしまっている。この法律の制定により日米間の関係はより円滑なものとなっている。

## ◆第3節　集団的自衛権は戦争の抑止力を強化するためのものである

要するに、現在の民主党を中心とする野党が「安保法案」を何とか葬ろうとしているのは、世界特に東アジアにおける日本の置かれている状況に、余りにも盲目的になっているために起こっている、おそろしいことではなかろうか。集団的自衛権の行使は、あくまで戦争を引き起こすためのものではない。アメリカその他の国との協力により戦争を抑止するためのものであることが、どうして理解できないのであろうか。勿論政府の本案に対する衆院における答弁は、歯切れが悪くよくわからない点はあった。しかしながら、参院においては衆院の審議の反省に立ち、それなりの説明を行ってきている。頭から反対のための反対を貫く、世界の状況を理解しようとしない野党の連中には説明しても、らちが明かないのではないか。

## ■終わりに　民主主義のルールに則り即刻可決を

すでに参院でも、約100時間の審議を行っており、数の横暴などという声は、ここへ来て全くあたらない。民主主義のルールに基づき首相は、信念を持ってこの法案を今週中に可決すべきである。

　もう一つ付け加えるなら、参院が結論を出さない場合は、参院が否決したものとして衆院で再可決することができる60日ルールがある。然しこれは、参院が自らの権利を放棄することであり、参院の存在を自ら否定するものである。

第4話

消費税10%への道程

# 消費税増税における軽減税率導入のおろかさ

2015年11月17日

2014年4月1日から消費税は8%となり、実に17年振りに引き上げられた。さらに、2015年10月から2%上昇させ10%となることが法律で定められたのであるが、8%への増税後の経済情勢が思わしくなく、安倍首相は、再増税すれば内閣の看板である「デフレからの脱却」が遠のくとして「景気条項」を削除して、10%への引き上げを2017年4月まで1年半先送りすることにした。そして衆議院を解散して、あらためて同氏に対する信を問うたことは、皆さんご存知の通りである。安倍首相の思惑通り自民党は選挙に大勝して、目下衆議院は盤石の態勢にある。さて、今のところ、景気は流動的で本当に2017年4月に更なる2%の増税を実行することが可能かどうかには疑問の残るところであるが、今回は「景気条項」は付けられておらず、首相も大震災やリーマンショックの再来が無い限り、増税を行うといっているので10%への増税は実現するであろう。

# 第一章　軽減税率導入論

## ◆第1節　軽卒に躍り出た逆進性議論

ところで、政府、与党は消費税率10％への引き上げと同時に、生活必需品などの税率を低く抑える軽減税率の導入を図っている。これは低所得者の税負担を緩和することが目的である。特に与党の公明党は、軽減税率の実現を選挙公約に掲げており、大変熱心にこれに取り組んでいる。公明党がしきりに主張するのは、消費税は年収や資産に係らず国民全体に同じ税率がかかるから、収入に占める食料品の支出の割合が高い低所得者ほど税負担が増す「逆進性」が存在するので、これを緩和すべきであると主張しているのである。政府、自民党もこの「逆進性」を否定しているわけではなく、増税で負担が重くなれば、消費が鈍化する怖れがあるため軽減税率を無視しているわけではない。

## ◆第2節　本筋である税と社会保障の一体改革を忘れた議論

しかしながら2012年の野田政権における民主党と自民党、公明党による「社会保障と税の一体改革」に関する三党間の合意においては、5％の消費税を段階的に10％に引き上げる一方、消費税率の引き上げに当たっては、「社会保障と税の一体改革」を行うため社会保障制度の改革を総合的かつ集中的に進めることをうたっている。これを要約すると、消費税の引き上げに伴う税収を社会保障改革のために全額費消することである。消費税を1％引き上げることにより得られる税収は、約2兆7千億円といわれている。ということは、年々高まる社会保障費を、消費税を上げることにより補填して、危機的な国家財政に梃入れしていくことが、税と社会保障の一体改革の本旨と考えるのであるが、如何であろうか。

## ◆第3節　逆進性理論の落とし穴

《高所得者ほど恩恵》それにも拘わらず、政府、与党特に公明党の主張を入れた「逆進性」を抑制するための軽減税率の実現を図ろうとしている。すなわち、消費税率10％の時点で食料品の税率を8％に据え置く方向に動いているようである。したがって、これが実現するならば買い物をする人にとっては、税負担が抑えられ、消費も一定のレベルを保つことができることは否定できない。ただ、一方で次のような問題があることについて、案外一般には知られていない。すなわち、軽減税率は低所得者以外にも恩恵が及ぶことである。財務省の試算によると公明党が主張する「酒類を除く飲食料品」の税率を8％に据え置いた場合、平均年収176万円の低所得者世帯の軽減額はわずか年8470円に留まるが、一方高級な食材を消費することの多い年収1077万円の高所得世帯は19750円とおよそ低所得世帯の2倍超の恩恵があるとのことである。これでは何のための低減税率かわからないのではないか。このため、制度の具体化を検討している自民党の税制調査会は、このように高所得者への恩恵が大きくなることから対象品目の拡大には慎重である。これに対して公明党は、2014年に税率を3％引き上げた際、消費が落ち込んだ経験から幅広い品目を対象にすべきであると主張している。

（対象品目の線引きがポイント）食料品などの消費税率を低くする「軽減税率」の最大の問題は、対象品目をどのようにするかという線引きの問題につきる。当然対象が多いと消費税収の目減り額が増加し、少なければ消費者の負担軽減効果が薄くなる。財務省の試算によると、対象品目と軽減税額の関係は次の通りである。

| 対象品目 | 税率２％軽減時の税収減の額 |
| --- | --- |
| １、全ての食料品 | １兆３８００億円 |
| ２、上記より酒類を除く | １兆３２００億円 |
| ３、酒類、外食を除く | １兆　２００億円 |
| ４、酒類、外食、菓子類を除く | ９０００億円 |
| ５、酒類、外食、菓子類、飲料を除く | ８２００億円 |
| ６、生鮮食品 | ３４００億円 |
| ７、米、味噌、醤油 | ４００億円 |
| ８、精米 | ４００億円 |

《合理的かつ賢明な線引きが必要》公明党は、酒類を除く全ての飲食料品を対象にすべきと主張しているが、論外な議論であろう。現在、政府自民党が考えているのは軽減税率導入に伴う税収減の穴を埋めるための財源として考えているのは、消費増税に合わせて社会保障充実として予定していた「総合合算制度」の導入見送りにより４０００億円をようやく確保するに留まっている。前記の数字を参照して頂きたいのであるが、この範囲で対象品目を当てはめると「精米」プラス「生鮮食品」だけになってしまう。財務省の試算によると「精米」

だけに絞ると線引きは単純明快だが、軽減税率を適用しても年収251万円までの低所得者世帯の負担軽減額はたったの年290円とのことで、これでは負担軽減の実感は全くといってよいほど感じられないのである。一方「生鮮食品」に適用すると同じケースで負担軽減額は2325円とやや増えるのであるが、問題は先にも述べたように生鮮食品の線引きという誠に厄介な問題が存在している。食品表示法の規定では単品であれば生鮮、2種類以上の組み合わせは加工品になるという難解な規定となっている。したがって「牛や豚のひき肉」は生鮮食品であるが「合いびき肉」は加工食品となる。現在政府、与党は軽減税率の対象を「生鮮食品」プラス「一部の加工食品」で検討しているようだが大変難しいのではないか。

# 第二章　重要な消費税経理処理方式

## ◆第1節　インボイス方式が本筋

次に大問題となるのは、軽減税率を導入すると2つの税率の商品が混じるため事業者の経理方式が煩雑になることである。すなわち、商品ごとに、どちらの税率を適用するかどうかを区分して納税額を計算する仕組みを規定しないと、正確な納税額を計算できないことになる。加えて前々から問題となっている税率の差を悪用して、本来納めるべき消費税を事業者の手元に残して、懐に入れる「益税」や脱税が増加する心配がある。これらを防ぐためには欧州で採用されている納税額を正確に把握でき、不正を防止できる、具体的には商品ごとの税率や税額を記した明細書であるインボイスの発行を販売業者に義務付ける制度の採用が必要となる。

## ◆第2節　但し時間のかかるインボイス方式の導入

しかし、中小零細事業者は、経理システムの変更やコストの増加などを理由に反対している。欧州では、この方式が当り前になっており、先般テレビで見た欧州の小売業者などの実態もＩＴとの組み合わせでそんなに難しいものではないように思われた。要は財務省の指導力の問題と思うが如何であろうか。インボイスの導入には1年半は必要で、消費税が10％となる２０１７年４月には間に合わないということであるが、これは主管官庁の財務省がもっと早く研究して、手を打っておくべきではなかったのか。財務省の本音は軽減税率は不要という立場であるから、致し方ないのかもしれない。しかし、現在でも「益税」を懐にしている不正な業者が存在するのであるから、インボイスの問題にもっと真剣に財務省は、取り組むべきかと考える。

## ◆第3節　移行期間中は益税を最小にしつつの便法は致し方なし

いずれにしても、インボイスは間に合わないようなので、与党は、インボイスを数年後に導入することで合意し、移行期間は、簡単な方法で間に合わせる考えのようである。具体的には、公明党は、しばらくは現行の請求書を使用して軽減品目に印を付ける方法を提案している。一方自民党は、売り上げの総額から税額を計算する「みなし課税」すなわち、売り上げの軽減税率の対象品目の売り上げ推定から納税額を計算し、事務処理を簡単にする仕組みを含めて、より簡素な方法を主張している。しかしながら、公明党案は通常税率か軽減税率かを区別するのに手間がかかるだけではなく、ミスや不正を見つけにくい。「みなし課税」ではとても正確な納税は難しく、消費税が事業者の手元に残る「益税」が増える心配がある。

11月12日の日経の報道によれば、与党は「みなし課税」を認める対象を売上高5000万円以下の事業者とする方向で検討に入ったと報じているが、与党は、この方式では「益税」が残るのでできうる限り対象を絞ると報じているが、これは当然のことであるにもかかわらず、反対に対象を拡大すべきという声もあり、このようなことは許されるべきではない。「何をか言わんや」である。

# 第三章　本丸は財政再建にあり

## ◆第1節　今回の消費増税額の使途

以上が2017年（平成29年）4月の消費税2%増税に関する軽減税率導入のあらましである。政府は、先ほども触れたように2012年（平成24年）に決定した「社会保障と税の一体改革」により消費税増税による増収分全額を医療や年金、介護などの社会保障制度の財源に充足すると規定しており、昨年4月に消費税は5%から8%となり、2017年4月にはさらに2%引き上げられることが決定しており、安倍首相は「景気条項」をはずして正に背水の陣を布いた。昨年と再来年の合計（5%）の消費税増収分約14兆円の使途は全て決まっている。このことは案外国民には徹底していない。念のためその内訳をみると

①社会保障の充実　　3.6兆円
②「借金で社会保障を補う」いわゆる「つけ回し」の圧縮　　7.3兆円
③基礎年金の国庫負担充実　　3.2兆円
合計14・1兆円

## ◆第2節　危機的財政状態を忘れるなかれ

さて、一方我が国の借金は、周知のとおり先進国では、最悪の1千兆円強である。当然消費税率10％時に、財源の目安がつかないまま軽減税率を導入すれば、財政状態はさらに悪化することは必定である。自民党は前々から今回のアベノミクスをふくめて財政再建と経済再生の両方を推進している。したがって、公明党の首唱する軽減税率については安倍首相も財務省も本音のところでは反対であろう。

## ◆第3節　財政再建に反する軽減税率は許されない

よしんば、軽減税率が導入されても「社会保障と税の一体改革」の範囲内で財源を捻出すべきであると考えている。具体的には、先に述べたように医療や介護の低所得者対策「総合合算制度」の新設を見送り、その財源4000億円を軽減税率にあてることが一杯一杯と考えている。当然対象品目をできうる限り絞るという考えである。これに対して公明党は、より多くの品目を軽減税率の対象とすべきであると、最近やや軟化はしたが、主張している。

# 終章　私の主張

## ◆第1節　軽減税率は必要なし

今、公明党が声を大にして叫ぶ軽減税率は、今回の消費税増税に当たって必要はないと考えている。その理由は、我が国の消費税は２０１７年にようやく10％になる。参考までに主要国の消費税標準税率と軽減税率は次の通りである。

| | 標準税率 | 軽減税率 |
|---|---|---|
| ①イギリス | 17・5％ | 5・0％（光熱費）　食料品非課税 |
| ②ドイツ | 19・0％ | 7・0％（食料品） |
| ③フランス | 19・6％ | 5・5％（食料品） |
| | | 2・2％（新聞） |
| ④スウェーデン | 25・0％ | 6・0％（新聞他） |
| | | 12・0％（飲食料品） |
| ⑤イタリア | 20・0％ | 4・0％（食料品他） |
| | | 10・0％（電気、ガス） |
| ⑥スペイン | 16・0％ | 4・0％（生活必需品他） |
| | | 7・0％（食料品） |

以上のような先進国の実態を見ると、国家財政の窮迫状況から考えるならば我が国の現在の８％、２０１７年での10％という税率は極めて低い税率といえる。このままの情勢が進む

限り、消費税の更なる上昇は避けられないであろう。次回の5％の増税（多分そうなるであろう）の際までに不公正な益税を生む納税方法をインボイス方式に抜本的に変革しておかなければならない。勿論今回の増税において仮に軽減税率がなかったとしても益税の生じる現在の方式は改めなければならない。

## ◆第2節　その代り総合合算制度の導入を

私は今回の増税にあたり、軽減税率導入に疑問を持つのは勿論課税の範囲にもよるのであるが、上記のような低所得者層に対する還元が少なく、むしろ高所得者への還元が多いというような軽減税率は実施しないほうが良いと思う。私が日頃から不審に思っているのは、確かに消費税は、低所得者層に対して逆進性を生むことは明らかであるが、消費税そのものについては、高所得者の方が価格の張るものを低所得者層に較べて大量に購入するから、消費税そのものの支払いは多いはずである。そうであるならば逆進性そのものだけを声高に叫ぶのは如何なものであろうか。ましてや、上述のとおり軽減税率を設けても金額において高所得者層が有利になるとしたら、逆進性の解消にはつながらないのではないか。したがって低所得者層に対する違った手当を考えるべきなのではないかと思うのである。私は不勉強のためその内容にうといのであるが、今回軽減税率導入のため日の目を見ないのではないかと思われる「消費増税」に合わせて考えられていた「総合合算制度」のような制度こそ逆進性の解消に資するものと考える。

この制度のあらましを述べると医療・介護・保育・障害などの社会保障サービスを受ける

際に利用者が負担する自己負担を世帯毎に合算してその合計額が一定額を超える場合にその超過額を国が負担する制度のことをいう。

### ◆第3節　公明党は大乗的見地と国家観を

最後になるが、公明党は与党である以上、もっと大乗的見地から物事を主張すべきではないか。今回「生鮮食品」プラスαで対象が決まった場合、わずかな不公平感の解消に留まると思う。弱者の味方を標榜することは大変結構なことであるが、そこには選挙目当ての思惑を感じるのは私だけであろうか。我が国財政の危機的な状況はよくわかっているはずである、目先の策を弄するより今回は「社会保障と税の一体改革」の原点に戻り、軽減税率は次回からにしては如何であろうか。どうしても「軽減税率」にこだわるならば、今回は「精米」だけにして「総合合算制度」を復活させる方が弱者の救済になると思っている。

最後の最後にもう一つ付け加えると、公明党の体質には疑問を呈さざるを得ない。弱者の側に立つ、平和の党などスローガンは大変結構であるが、大衆迎合いわゆるポピュリズムに堕しているのではないか。その例がかつての子供手当であり、今回の軽減税率の対象拡大である。これらは国家の現状を直視しないばらまきとしか思えない。公明党が自民党との連立に参加して早15年を経過しており、公明党は与党の居心地の良さをまさに満喫しているのではないかと思う。しかし、与党であるからにはもっと国家観にたった態度を示してほしい。所詮基本母体が創価学会であるから自由に振る舞えないのでは寂しいではないか。正直いって自民党も公明党の選挙協力に期待しているのであって、それだけでは、公明党の存在意義は薄いと思う。

第5話

原子力開発機構

# 高速増殖炉「もんじゅ」の漂流

2015年12月22日

11月13日原子力規制委員会（以下規制委員会）は、所管部署の文部科学省に対して、1兆円以上を投じながら20年間ほとんど動かず、現在停止中の高速増殖炉原型炉「もんじゅ」について、安全管理上の不備が、再三の指摘にも係らず改善されないとして、現在の運転組織「原子力研究開発機構」（以下原子力機構）は、その運営主体としては不適格として、また文部科学省の対応も適切でないとして、半年以内に「もんじゅ」を安全に運転する能力のある別組織に交替を求める勧告を行った。さらに、仮に代わりの運営主体を見つけるのが難しい場合は、安全上のリスクという観点から「もんじゅ」そのものの有り方を抜本的に見直すとしている。

ただ、これは異例ともいえる勧告ではなかろうか。何故なら後ほど詳しく述べるが「もんじゅ」は国の「核燃料サイクル」を担う中核となる特殊な原子炉であるため、移管先を見つけるのは至難の技であるからである。いいかえればこの勧告は事実上の「廃炉勧告」といってよい。規制委員会が2012年の発足以来、初めての勧告に踏み切ったのは、ここ数年繰り返されてきた。例えば「もんじゅ」でおきた1万点を超す機器の点検漏れをはじめとする杜撰な安全管理について、原子力機構には当事者能力なしと見限った結果であろう。

# 第一章　原子力利用における「核燃料サイクル」の重要性

## ◆第1節　中核を担う高速増殖炉

それでは「もんじゅ」とは何か、およびこの研究用原子炉の存在の基である「核燃料サイクル」について説明したいと思う。「核燃料サイクル」とは、原子力発電所の原子炉で使用した核燃料からウランとプルトニウムを取り出し、再利用する政策である。資源の乏しい我が国にあっては、資源の有効活用を図るという目的から、半世紀以上前からこの導入に取り組んできた。もう少し詳しく述べると、軽水炉から取り出される核燃料には、「燃えないウラン」であるウラン238とプルトニウムと僅かではあるが核分裂性のあるウラン235など、各種の核分裂生成物が含まれる。このプルトニウムやウラン235を取り出し核燃料として再利用すれば、単に廃棄処分することに比べて多くのエネルギーを産出できるわけである。また、ウランやプルトニウムを取り出すことになるため、放射性物質が減少し、廃棄物の量も減少する。このようにして取り出されたプルトニウム、ウラン混合酸化物をMOX燃料というのであるが、これを使用して消費した量以上の燃料を生み出すことのできる高速増殖炉の実用化を目指して、最初に創られた高速実験炉「常陽」を経てつくられたのがこの原型炉「もんじゅ」である。

## ◆第２節　基本技術の未確立による事故相次ぎ操業停止へ

この「もんじゅ」は、効率の高い高速増殖炉として核燃料サイクルの中核施設になるはずであったが、１９８５年10月に着工以来のその歴史を繙くとトラブル連続で、未だに運転の目処がたっていないのである。一応着工後１９９１年５月に試運転を開始し、１９９４年４月に核分裂が連続して起こる「臨界」に達し、１９９５年８月に発送電を開始した。ところが同年12月に冷却材であるナトリウム漏洩火災事故を起こしてしまう。「もんじゅ」の冷却材である金属ナトリウムは空気中の酸素に触れると自然に発火するため、取扱いに当たっては細心の注意を要する。それにも拘わらず二次冷却系で温度計の破損により、金属ナトリウムが漏れ、火災が起こる。事故自体は国際原子力事象の尺度においてレベル１と判断され、致命的なものではなかった。しかし事故への対応の遅れ、当時「もんじゅ」を管轄していた動力炉、核燃料開発事業団（動燃）の事故隠しなどが表沙汰になり、批判を浴びたのであった。このように中核となる「もんじゅ」の頓挫により核燃料サイクルは停滞を余儀なくされたのであった。

## ◆第3節　組織大編成後も続いた事故により操業殆どできず

このように動燃の隠ぺい体質が問題化して、１９９８年10月に核燃料サイクル開発機構が発足さらに、特殊法人改革で核燃機構が核融合などを研究していた日本原子力研究所と統合して常勤職員３７００名、予算１９５０億円という巨大な日本原子力研究開発機構となった。停滞気味の組織にも原発の運転経験豊富な電力会社や文科省などから優秀な人材を迎え、組織改革も行われ、「もんじゅ」に携わる３２０名のうち４割は外部から迎え入れた人材であった。このように組織的にも梃入れして、その後、運転再開のための本体工事が２００７年に完了し、２０１０年５月に２年後の本格運転をめざし約14年ぶりに運転を再開したのであった。

しかし２０１０年８月、運転中に燃料交換装置の部品を炉内に転落させるという事故を起こし、その取り出しに難航し、２０１２年に稼働の予定であったが、２０１５年夏の時点で未だに稼働していない。２０１２年11月約１万点の機器の点検漏れが発覚し、規制委員会は、２０１３年５月、事実上の運転禁止命令を正式に決定した。一方、２０１４年４月政府はエネルギー基本計画を閣議決定して、「もんじゅ」の存続を決定している。本年９月になって「もんじゅ」における機器についての重要度分類に間違いがあることがわかり、ついに、規制委員会の文科省に対する原子力機構の交替を促す「勧告」となったのである。

# 第二章　エネルギー政策における原子力の重要性認識を

## ◆第1節　高速増殖炉の挫折は許されず

さて話は前後するが、問題となっている核燃料サイクルの仕組みを簡単に説明すると次の通りとなる。一つは原子力発電所の軽水炉から出た使用済み核燃料を再処理工場で、まだ使えるウランやプルトニウムを取り出し、前出のウラン、プルトニウム混合酸化物（ＭＯＸ）燃料に加工して、再利用する政策であるが、その中核となるのが高速増殖炉で、これは、ここでＭＯＸを使うことによって消費した以上の核燃料を生み出せるため「夢の原子炉」といわれてきた。勿論原子力先進国は、こぞってこの炉の実用化に取り組んだが、技術的に幾多の困難を伴っていたため、最後まで努力したフランスを最後に日本以外は全ての国が撤退した。

もう一つは、プルサーマルといわれる方式で、通常の原子力発電所の軽水炉でＭＯＸを消費する方法であるが、高速増殖炉に比べればプルトニウムの消費が格段に少なく、かつ核燃料の再使用効率も低く、核燃料サイクルが目指す理想を達成することは難しい。政府は、軽水炉で燃料の一部を再利用するプルサーマル方式と高速増殖炉を両輪として、原発で生じたプルトニウムを燃料として利用することを目指していたのであるが、「もんじゅ」の運転不能から計画は挫絶しつつある。

## ◆第2節　原子力の平和利用にブレーキも

報道によれば、現在国内で貯蔵されている使用済み核燃料は約１７０００トンという膨大な量となっており、その処理について政府は頭を悩ましている。加えて、これは重大な問題なのであるが、「もんじゅ」の行方は国際問題に発展しかねないことである。このことに詳しく触れると、日本は世界の原子力利用国の中で、特異で微妙な立場にある。というのは、我が国は、国内で再処理を認められている、唯一の核兵器非保有国である。確かに、日本政府は国際社会に認められるために、平和的な意図を示すために多大な努力を積み重ねてきた。日本は過大なプルトニウムを製造せず、国際的に承認された国際原子力機関（ＩＡＥＡ）のガイドラインを遵守し、その査察措置を文句なしに受け入れてきており、模範的な態度であると評価されている。しかし、今後数年以内に原子力発電所の運転が増え、日本のプルトニウムの保有が再処理を進めることによって急速に増加するであろうという重大な問題がある。もし「もんじゅ」が稼働せず、将来廃炉というようなことになり、日本がプルトニウムを利用するための有力手段を失えば、諸外国より余剰プルトニウムの核兵器への転用を疑われる懸念がある。

## ◆第3節　巨額の投資をした核サイクル設備の挫折は許されず

我が国が保有するプルトニウムは約47トンで、その４分の３は分離処理を請け負った英国とフランスにおかれている。何回もいうようだが、プルサーマルだけではとても処理が追いつかない。日本は、先に述べたように使用済み核燃料からプルトニウムを取り出し、再処理できる唯一の非核保有国である。そしてこれを認める日米原子力協定が2018年に期限を迎える。「もんじゅ」が稼働できないというようなプルトニウム処理計画が難航すると、米国から再処理する特権が認められなくなり、核燃料サイクルそのものが破たんするおそれがある。現実の問題として、韓国は米国に対し、どうして日本には再処理が認められ、韓国には認められないのかと執拗に迫っている。さて、今回「勧告」を受けた「もんじゅ」の実態をもう少しくわしく調べてみると「もんじゅ」は1995年8月に発送電以降、同年の12月のナトリウム漏れ火災事故、2010年8月の燃料交換装置の落下事故などで、この20年間に発電したのは日数換算にして僅か37日間で、フル運転したことがないので20年間の実績は平均年0・2%である。それに対して費用の方をみると

1、建設費　5860億円
2、運転維持費　3987億円
3、人件費　533億円
4、固定資産税　412億円
5、RETF費用　835億円
（リサイクル機器試験施設「もんじゅ」の使用済み核燃料を再処理して、プルトニウムを取り出す施設）
6、その他　76億円
合計1兆1703億円

停止中の現在でも年間２２０億円以上の費用がかかっている。

# 第三章　原子力行政の中核、原子力規制委員会の資格を問う

## ◆第1節　権威を振りかざす原子力規制委員会

さて、政府は「運営主体変更」「期限は半年間」という最後通牒を規制委員会から突き付けられた訳であるが、しかしながら「もんじゅ」は何回も触れているように、この原子炉は冷却材として、空気や水に触れると爆発するおそれのある液体ナトリウムを使用しており、この取り扱いの難しさ故、原子力先進国は、すべて高速増殖炉計画から撤退したのである。ナトリウムを扱った経験を持つのは国内においては現在の原子力機構しかない。それ故に、規制委員会の要求する半年の期限内に技術面や能力面双方を充たす代替機関を見つけることは至難の技といわねばならない。私が規制委員会に不信感を持つのは、規制委員会の田中委員長と更田委員は、旧原子力委員会の出身、伴委員は旧動燃に所属しており原子力機構にとっては3氏ともＯＢでいわば「もと身内」である。彼等は「もんじゅ」が火災事故発生後の問題やトラブルに際して、その解決にいろいろと関与してきたはずである。それだけにいい方は悪いが、これは権威を振りかざして解決を迫るやり方で私は強い抵抗感を覚える。確かに、この20年間の「もんじゅ」の在り方については、全く問題外の状況が続き、何ら問題の解決が計られていない。問題が起こるたびに原子力機構としては、改善を実施してきたはずであるが、本質は変わらなかった。今回の「勧告」は過去の経緯や運営の内容を知る委員達によ

る最後通牒なのであろうが、委員長を始め現在の運営母体原子力機構に代わる機関が存在しないことを一番熟知している5名の委員達が、「半年以内にそれを見つけろ」、「看板の架け替えは許さない」という「勧告」は、頭から「廃炉」にすべきと言っているのに等しい。

## ◆第2節　巨額の国費を科学立国の総力で活かすべきである

先に述べたように「もんじゅ」には約1兆2千億円という巨額な国費が投じられている。原子力先進各国が、どうにも手に負えないとして、匙を投げたナトリウム冷却材の取り扱いの解決に、我が国の総力をあげて邁進すべきなのではないか。そこに科学立国としての、我が国の価値があるのではないかと私は強く思う。11月13日に規制委員会の田中委員長から「勧告」を受け取った馳文科相は辞を低くして「今後の取り組みに、助言、指導を頂きたい」と呼びかけたが、その後の記者会見で委員長は「勧告を出して、自ら答えは出せない」と今後新組織の検討に参加する考えのないことを強調した。いわば「失態続きの貴様たち」が自分達で考えろという突き離しである。無責任と私は思う。

## ◆第3節　原子力を否定しようとしている原子力規制委員会

大体規制委員会は、原発再稼働についても、なにかと難癖、特に活断層についてことさら大きく言い立て、再稼働を遅らせ国益に反する行為をしてきた。そんなことを考えているとき、12月の11日から全国紙に櫻井よしこ氏の主宰する「国家基本問題研究所」の「原子力政策を決めるのは政府です。規制委員会ではありません」という意見広告が掲載された。また櫻井氏は産経新聞において、同趣旨の寄稿をしている。私も、前に「金言」で述べたことがあるが、現在の規制委員会はかつての民主党菅直人政権の独断と偏見によりつくられた置き土産で、委員会の存在は公正取引委員会と同様「国家行政組織法」の3条機関として設置されたもので、総理大臣の権限が直接及ばない。それだけの権限が与えられているのであるから、委員会に対しては「中立公正」「透明性」が求められる。しかし、実態は日本に原子力発電所は必要ないという方向に持って行こうとしているとしか考えられないのが、規制委員会の実態である。最近の動きでも、日本原電敦賀原発2号機の安全審査でも、一方的に敷地内の破砕帯を活断層として、反対論を頭から門前払いした。これには敦賀市長も公正な議論をするよう規制委員会に申し立てている。今回の「勧告」についても同市長は「規制委員会の適切な指導があれば、このような事態にはならなかったのではないか」、西川福井県知事も「これまでの助言に親切さが欠けていた」といっている。活断層の審査については、最近東京電力柏崎刈羽4号機の海沿いの堤防近くに活断層ありとして騒いでいるようだ。

## ■終章　特権意識に居座る原子力委員会の正常化を

最後になるが、現在の規制委員会は2030年代に原発を全廃しようとする民主党菅政権が考えだしたものであるが、残念ながら国会で承認されたのは自民党政権に戻ってきてからである。結果として今回「もんじゅ」を廃炉にして国の基本的な原子力政策を変えようとしているのが現状である、たとえ3条委員会であっても独断専行は絶対に許されない、政府は、規制委員会が設置法に基づいて正しく機能しているかを検証する義務があると思うが、どうであろう。いずれにしても、原発稼働によるエネルギーは目標である総エネルギーの20％以上は必要である。そのことは、先般パリで行われた気候変動枠組条約（ＣＯＰ21）で日本は、ＣＯ２の排出量を30年に13年比26％減という高い目標が課されていることからも是非達成しなければならない。そのためにも我が国は、特権意識にこり固まった現在の規制委員会をまともなものにしなければならない。

第6話

## 大津地方裁判所の決定に疑問

# 高浜原子力発電所の運転差し止めに思う

2016年3月31日

３月９日大津地方裁判所は、関西電力（以下関電）高浜原子力発電所３号、４号機の運転を差し止める仮処分の決定を下した。今回の仮処分の内容は、原発の安全審査を担う原子力規制委員会が、２０１３年から関電の求めにより、２０１１年の３月の東京電力（以下東電）福島第一原子力発電所（以下福島）の事故後、厳しく制定した新基準に基づく安全審査に合格して再稼働した原発の運転を差し止めたもので、この処置の妥当性には大変疑問があるところである。すなわち今回の地裁の決定は、いわゆる３条委員会である原子力規制委員会、これは国家行政組織法第３条や内閣府設置法第64条の規定に基づいて設置された独立性の高い委員会で、府省を管轄する大臣などから指揮、監督を受けずに権限を行使することのできる公正取引委員会や国家公安委員会と同様の機関である。この委員会が設けた世界でも指折りの最も厳しい規制をクリアして、お墨付を得たのであった。しかし、この高浜3、4号機の運転については、福井県在住の住民らによる運転差し止めの仮処分申し立てが、2015年4月に福井地裁において認められ、その後12月に異議審でその取り消しが決まり、3号機が本年1月に、4号機が3月に再稼働に漕ぎ着けたのであった。

# 第一章 「差し止め仮処分」の理由

今回の差し止め仮処分が如何なるものかについて、少し長くなるが述べる。関電が、高浜原発3、4号機の運転をしてはならない理由は次の通り述べられている。

## ◆第1節 安全への異常ともいえる情緒的判断

（1）「当事者関電の安全性立証不十分」

関電は、東電福島の事故を踏まえて原子力規制行政がどう変化し、規制がどう強化され、それに対して関電がどう応えたか、主張と証明をつくすべきである。原子力規制委員会が設置変更許可を与えたことだけで主張や証明があったとはいえない。

（2）「原因究明不十分で策定された新規制基準」

福島原発事故の原因究明は、建屋内の調査が進んでおらず、今道半ばの状況にある。津波が主な原因として、特定できたかどうかも不明である。同様な事故を防ぐ見地から、安全性確保対策を講じるには、徹底した原因の究明が不可欠である。この点に意を払わない関電や規制委員会の姿勢から、新規制基準の策定には不安を覚える。福島原発の安全対策は不十分であった。そして、災害が起こるたびに「想定を超える」災害であったと繰り返してきた過ちに、本当に真摯に向き合えないのなら十二分な余裕を持った基準を策定すべきである。関電の主張や証明の程度では、新規基準や設置変更許可が、直ちに公共の安寧となるのかためらうものである。審査過程を検討すると、相当の対応策を準備していることは認める。ただ、事故に備えた設備が、新規制後に設置されたかどうかは不明で、ディーゼル発電機の起電に失敗した事例が少なくない。このような備えでは、十分な備えがあるという社会一般の合意が形成されたということには、不安を覚える。

（3）「活断層及び津波の安全性の調査不足」

活断層について、関電の調査が海底を含む周辺領域全てで徹底的に行われたわけではない。基準地振動で十分な主張や証明がなされたとはいえない。1586年の天正地震に関する古文書に、若狭に大津波が押し寄せ、多くの人々が死亡したとの記載がある。関電の調査だけで、大規模な津波を否定してもよいのか。

## ◆第2節　責任ある避難計画の不存在

これは関電に直接問われるべき義務ではないが、福島の事故の影響の範囲の大きさと、避難において大きな混乱が起きたことを国民は熟知している。したがって、国家主導で早急に策定される必要がある。事故発生時の責任は、誰が負うか明瞭にして新規制基準だけで十分というのではなく、避難計画を含んだ安全性確保対策にも意をはらうべきである。

### ◆第3節　被保全権利の存在と差し止めの必要性

当該3、4号機は、福島原発事故を踏まえた苛酷事故対策の設計思想や外部電源に頼る緊急時の対策方法に関する問題点や、耐震性能決定に関する問題点に危惧すべき点があり、津波対策や避難計画にも疑問がある。人格権の侵害される怖れが高いのに、安全性の確保について関電の主張や証明が尽くされていない点がある。したがって、（民事保全法に基づく仮差押え・仮処分の手続きにおいて保全されるべき）権利被保全権は存在する。3号機は1月29日に再稼働し、4号機は2月26日に再稼働した。したがって保全の必要性を認める。

## 第二章　特定のイデオロギーに偏したポピュリズムによる決定

以上が高浜3、4号機差し止めを命じた仮処分決定の要旨である。しかし今回の決定は疑問だらけと思う。冒頭に述べたように、原子力規制委員会は極めて権威のある3条委員会であって、その委員会が審査員わずか100名しかいない手薄な状況を乗り越えて審査の停滞を再三にわたり指摘されながら、原発を所有する電力会社に対して不十分な資料や対策に徹底的な注文を繰り返し、見直しを求めてきたのは、巷間でよく知られているところである。まさにその激しいやり取りは、業者と規制委員会とでは、哲学や方針が根本的に相違するといわれるほど、激しくやりあってきた。事実今回の高浜についても規制委員会の会合は70回以上開かれ、2年3か月かけて関電が提出した約10万ページの申請書を詳細に検討して、安全性を判断したものである。これに対して大津地裁はわずか4回の審尋で規制委員会の出した合格の判断を覆したのである。確かに近代国家において裁判官は「自由心証主義」を採用しており、証拠の扱いや評価は裁判官に任されているのであるが、今回の裁判官の胸中には運転を差し止めるべきであるという自由心証の信念が宿っており、それに基づいてこの判断を下したと思うが、専門家が厳しい安全基準を設けて、運転を認めたことに対して司法が何故そこまで踏み込むかについて疑問を持たざるを得ない。私には、特定のイデオロギーに偏した結論ありきの決定としか思えない。事実、上記の理由書の内容はただただ情緒的で説得性ゼロである。

# 第三章　三権分立の相互牽制を逸脱する最近の司法

## ◆第1節　高度な知見事案における仮処分は不適切

さて、司法手続の今回のような「仮処分」について少し触れておくと、「仮処分」とは正式な裁判の確定を待っていると、回復できない損害や権利の侵害が生じる場合に、裁判所が暫定的な取扱いを決めるものである。制度上は稼働中の設備を止めるという重大な決定も可能である。しかし、一方では正式な裁判とは違い、仮処分では証人尋問や鑑定は行われず、証拠も限定される。原発の稼働問題のような高度の科学的な知見が必要で、かつ影響度も大きい事案について、仮処分で採り扱うべきかどうか裁判所には慎重な判断が求められると元高裁判事で中央大学法科大学院教授の升田純氏は述べている。私も下級審においてこのように原発再稼働のような問題を軽々に決めてしまうようなことは絶対に避けるべきかと考える。これは、いわば司法制度の不備ではないかと思う。あるところに、このような御伽話のようなものが記載されていた。それを紹介しておくと、今述べた仮処分制度のもとにおいては、下級審で偏見を持つ裁判官のもとでは「自衛隊の廃止を求める」というような仮処分判決が出てしまうのではないかとあった。

同氏は、さらに今回の仮処分決定で稼働中の高浜原発を差し止めた大津地裁は、関電に「安全性の主張や説明が尽くされていない」と指摘する一方、関電の対応や原子力規制委員会の新しい規制基準のどこに問題があるのかについて具体的な説明はほとんどない。また、何故仮処分が必要かという記述も少なく疑問が残ると指摘している。

## ◆第2節　司法権の3条委員会への越権行為

また、我々が一番疑問に思うことは、原子力安全行政について権限を持つはずの原子力規制委員会の規制基準の頭越しに裁判所が原発の運転の是非を決定することが正しいことなのかである。福島原発事故発生後、原発の安全性を巡り、地裁ごとに判断が分かれているのは事実である。２０１５年には、九州電力川内原発の再稼働差し止めを求めた訴訟に対し鹿児島地裁は、以下のとおり判断している。「専門的知見を有する原子力規制委員会が相当の期間、数回の審議を行って定めたものであり」「最新の調査研究を踏まえており、内容に不合理な点は認められない」。この鹿児島地裁の判決は、１９９２年の四国電力伊方原発の原子炉設置許可取り消し訴訟に対する最高裁判所の判断に依拠したもので、その内容は「裁判所の審理、判断は原子力委員会若しくは原子炉安全等専門審査会の専門的、技術的な調査、審議及び判断を基にしてなされた行政府の判断に、不合理な点があるか否かという観点から行なうべきである」としている。これは要するに裁判所の判断は、当該行政機関の判断が、正しくなされたかどうかを判断するだけであるといっているのである。裁判官ができることはあくまで「専門機関の審議の過誤」だけに過ぎないのである。原発反対論者は何か勘違いしているのではないか。

このような最高裁の判例があるにもかかわらず、昨年の福井地裁における関電大飯原発差し止め仮処分、そして今回などおかしな判決が出ることは誠に遺憾である。聞くところによると反原発は、1992年当時とは違い、福島において従来の科学技術を超えた災害が発生したのだから、伊方判決などは現在では通用しない。などと詭弁を弄している向きもあるようであるが、法を無視した暴論に過ぎない。もう一つ付け加えるならば、最近の原発再稼働差し止め訴訟などは全くその原発所在地以外の住民がおこしたものが多く、例えば今回の大津地裁の案件は、高浜から70キロ離れており、もし事故が生じて琵琶湖が汚染したらというのが訴訟の理由であるが、その他を含めてこれはもう濫訴（らんそ）といってよい。

## ◆第3節　国民経済の大損失

さて現実の問題として、原発の停止を求められた関電としては経営上大きな影響を受けることは間違いない。高浜3、4号機の稼働ができないなら月間100億円の利益が逸失する。関電は、5月から料金の引き下げを公表していたが、取り下げざるを得なくなった。我が国の電気料金は、おおよそアメリカの3倍、中国の1・5倍といわれている。したがって安全の確保された原発の再稼働が進めば供給能力が高まり、電気料金は下がる。我が国の国際競争力を高めるという見地から原発の再稼働は避けて通れないのである。このように原発の再稼働を巡っては、経済面と社会的な影響を見ていかなければならない。今回のような判決が出たことによって、原発の再稼働への難易度は上がるかもしれない。しかし、余りにも経済面を無視した動きが盛んになれば国民の利益に決してならないことは必定である(何故なら、私が思うに、原発はやめろという一方、電気料金は下げろといい続けるに違いないのが、我が国民の実態だからである。)

## ■終章　権限踰越は司法の自殺行為

最後に我が国は三権(立法、司法、行政)分立で成り立っていることは、ご承知の通りである。しかし、最近の裁判所の姿勢は最高裁を含めて余にも行政に容喙(ようかい)しすぎているのではないか。言葉は悪いが首を傾けざるを得ない判決が多すぎるのではないか。今回の原発再稼働差し止め判決しかり、3年前の民法における非嫡出子の相続に関し、嫡出子の二分の一とする規定を違憲としたなどは日本の良き習慣、伝統、公平性を覆すものと思うがどうであろうか。

民法の起草者が考えに考え、非嫡出子の相続を二分の一にした苦心と経緯を、踏みにじるものと私は考えるのである。

第7話

# 「婦人公論」の対談 理解できない瀬戸内寂聴氏

2016年6月30日

本稿に人物の評を書くのは久し振りである。大体人物論になるとついつい当人の悪いところを書いてしまうので、私は万人が「如何なものか」と思う人、例えば、鳩山由紀夫とか大江健三郎ぐらいしか取り上げていなかったのである。しかし、今回は、世間に芳しくないものをしきりに振りまく瀬戸内寂聴氏を取り上げさせて頂いた。最近彼女は1年ばかりマスコミには全くといってよいほど現れなかったのであるが、ここのところ再び登場するようになり、直近では雑誌「婦人公論」の6月14日号にSTAP細胞で世を騒がせた小保方晴子氏と対談し、この記事のため地味な「婦人公論」は増刷に次ぐ増刷という異常な状況となった。

# 第二章　作家・尼僧・市民活動家の才女

## ◆第1節　女流作家として人気博するも……

さて、私が瀬戸内晴美（寂聴）の名前を最初に知ったのは、私が社会人になったころ女流作家の田村俊子を取り上げ評判になったことがきっかけであった。

さて、瀬戸内晴美は1922年（大正11年）徳島県の生まれである。東京女子大学の出身であるが、在学中に見合い結婚したが、その後夫の教え子と不倫して、夫と3歳になる長女を残して家出する。その後1950年に夫とは離婚して、上京し小説家を目指した。当初は、少女雑誌に少女向けの小説を書いたりしていたが、その後丹羽文雄氏に師事して同人誌「文学者」の同人となり、1956年「女子大生・曲愛玲」が新潮社の主宰する新潮同人雑誌賞を受賞したのであるが、受賞後の第1作として発表した「花芯」がポルノ小説ではないかと評判になる。私もその頃は一端の文学青年で芥川賞受賞作品をはじめ評判になった小説はほとんど読んでいた。最近は、芥川賞受賞作品も小粒になり、馬鹿馬鹿しくてほとんど読まない。瀬戸内の「花芯」は当時評判となった小説で随分と赤裸々なことを書く人だなというかすかな記憶がある。「花芯」とは女性の子宮のことだと本人自身も言っているので、ほぼその内容については察しがつくと思う。このセンセーショナルな小説を書いたことから暫く執筆の依頼が途絶えたと聞いている。しかし、前出の「田村俊子」さらには、1963年に女流文学賞を受賞した「夏の終り」により作家としての地位を確立した。そして、以後恋愛小説や伝記小説などを数多く発表して人気作家となるが、残念ながら純文学や大衆文学の芥川賞や直木賞のような主要文学賞については30年間一度も受賞していない。その後「源氏物語」の現代語訳を発表するが、すでに谷崎潤一郎や女流では円地文子の名訳があり、二番煎じのそしりをまぬがれないのではないか。

## ◆第2節　出家し作家との二束の草鞋で意気軒昂

噂によると彼女はある時期修道女を志したこともあるようであるが、乳児を残して不倫に走った過去が、教会から受け入れられなかったともいわれている。その後出家を目指し、多くの仏教寺院に掛け合うが、いずれからも拒否されていた。しかし、1973年に今東光（春聴）大僧正の導きにより中尊寺で得度し、法名を寂聴とし、翌年比叡山で60日間の修行を積み、京都に寂庵と称する庵をかまえた。得度した理由は彼女の書いたものをよく読めば分かるのであろうがその時間はないので不明としておく。得度後は尼僧として、また作家として活動を続けている。彼女の過去からの人との繋がりと活動を2008年に日本経済新聞に「奇縁まんだら」と題して連載していたがこれは大変面白かった。先輩の作家や同性の作家のこと、そして私事など実に正確にかつ面白く活写されており、翌年の「続編」と並んで彼女の並々ならぬ才能が窺えるものである。このようなものを書ける作家はそう沢山はいないのではないかとその時思ったのであった。尼僧としての活動もはなばなしいものがあり、その青空説法は有名であり、1988年に出版した「寂聴般若心経」は40万冊以上を売り上げるという大ベストセラーとなった。

## ◆第3節　社会市民運動にも深く関与

一方社会運動にも極めて熱心で、麻薬使用により逮捕された有名俳優の更生につくしたことや冤罪ではないかと騒がれた徳島ラジオ商殺し事件の被告富士茂子を応援して共著まである。さらに、連合赤軍事件の主犯永田洋子死刑囚とも交わり控訴審では証人までなっている。さらに、連続射殺事件により死刑に処せられた永山則夫を支援したりもしている。さらに、ここからは何故彼女がこのような行為に手を染めたかが不明なのであるが、先ず脳死による臓器移植反対運動をしている。何か宗教的な理由があるのだろうか。また、1991年2月に湾岸戦争が勃発すると急に戦争の終結を祈って7日間の断食を行い、さらに4月には救援カンパと故郷の大塚製薬の寄付による医薬品を携えイラクを訪問した。次に、どうしてそうするのか不明であるが同時多発テロ報復攻撃にも抗議して短時間ながらハンガーストを行った。

# 第二章　国家への反逆的言動に走る

## ◆第1節　人の命を奪うと決めつけての「原発反対運動」への参加

彼女自身は、原子力発電に反対する立場にあり、2012年7月東京代々木公園で行われた原発反対の大会に参加して自分が脱原発を訴える理由は「人の命の大切さ」であると主張し、原発は必要であると主張する推進派の人達に「原発は現に人の命を奪い非常に危険なものである」「危険ではないという証明はない」と訴えた。以下その時の発言「このように皆が嫌がっている、危険だと思っている、信じていない原発を何故政府は、これほどやりたいのか、それが本当に不思議で腹立たしい」「自分が生きている限り反対を叫び続ける」「歴史の中でこういう時にこれだけの国民が反対したという事実を残さなければならない」しかしながら、彼女は我が国のおかれている厳しいエネルギー事情と何故福島でこのような事故が起きたのか、といったことには全く無知であり、おそらく直接原発事故により亡くなったかたは皆無であるという事実もご存じないのではないか。したがって私にいわせれば瀬戸内の反対は全く観念的に反対しているとしか思えない。彼女は思想的には完全に共産党のシンパである。公然と選挙においては、共産党に投票して来たと言っている。日本経済新聞の記事では彼女は共産党員ではないが、完全にそのシンパであると言っている。

## ◆第2節　人を殺す法案と決め付けての、所謂「戦争法案」に反対

さて、安保法制が国会を通過したにも拘わらず、なおこの法制は戦争法であると主張している勢力があるが、その中心人物の一人が瀬戸内である。彼女は再三にわたりこの反対集会に出席しているが、ある時マスコミに次のように語っている。「美しい憲法を汚した安倍政権は世界の恥、安倍政権が強行採決した安保法案は、世界中で日本国民を死なせ、家族を不幸にして、国を滅ぼす」さらに原発反対と同じであるが「多くの国民が安保法案に反対した事実、そして安倍政権が、どれだけ横暴なことをしたかという事実を歴史に刻もう」「可愛い息子や孫が戦争に連れて行かれ、安倍政権が如何にひどい政権であったかを歴史に残そう」と。

## ◆第3節　日本の国家を思わずして文化勲章受賞の価値なし

私のような歴史と伝統のある日本を日本人の手で確りと守るという愛国的な保守（これが本来の日本人だと信じている）から見ると、瀬戸内だけではなく安保法制を戦争法などと称して反対している勢力は売国奴と思わざるを得ない。現在の日本国憲法は、わずか1週間余りで米占領軍の関係者によって起草された。しかも、占領中には被占領国の基本的な法律の変更は許されないという国際法に違反して全面的に押し付けられたものである。その前文は常識はずれのものであり、国の自衛権まで否定した第9条については何をか言わんやである。それを戦後70年以上にわたって後生大事に引きずって今日に至っている能天気ぶりをいい加減に気がつくべきである。中国は、沖縄、いや日本国全体をその支配下におくことを虎視眈々と狙っている。中国の支配下にあるチベット、ウイグルその他がどんな状況におかれているのかを考えたことがあるのか。瀬戸内が文学者としてどれだけの業績をあげたかについては素人である私にはわからないが、前にも触れたように30年間にわたり芥川賞、直木賞などのこれといった主要な文学賞を獲得していない点からみて、これはいい過ぎかもしれないが文化勲章を受章するほどの人とは到底思えない。文学と関係ない今述べてきた数々のパフォーマンスは文学者としては如何なものかと思うのである。高齢ではあるし、これ以上晩節を汚す行為は差し控えてはどうか。

# 第三章　STAP細胞の小保方氏を支持する無責任さ

次に、最初に少し触れたが6月14日号の婦人公論における瀬戸内と小保方晴子氏の対談についてお話したいと思う。小保方晴子は2014年1月STAP細胞に関する2012年の研究論文を英国の学術誌「ネイチャー」に投稿したが、その後その再現が全くできなかったことや論文の盗用や改竄などの不正が見つかり、またサンプルや遺伝子のデータ解析が論文と矛盾していることが明らかになり、6月に論文は、撤回に追い込まれた。そして8月には上司の笹井芳樹氏が自殺し、小保方が所属していた理化学研究所の検証実験においても細胞の再現はできなかった。この結果、何らかの理由によりES細胞が混入したものと断定されたのであった。小保方はその後12月に理研を退職している。また、ハーバード大学における検証でも計133回の再現実験においてSTAP細胞の再現は不能であった。理研の野依良治理事長は2015年3月に本人は会見で否定しているが、実際には引責辞任している。その小保方は、その後母校早稲田大学から授与されていた博士号も取り消しとなった。その小保方が、2016年1月STAP細胞問題に触れた手記「あの日」を出版して、かつての論文共同執筆者を批判したのであった。私はその手記を読んでいないので批評は差し控えさせて頂くが、この手記を読んだ瀬戸内は小保方に同情して手紙を送り、4月に京都で二人は会い、その対談が今回「婦人公論」に掲載されたのであった。どちらかというと瀬戸内は、手記の内容を全面的に支持して、彼女を激励しているのである。しかし、本当にそれでよいのであろうか。小保方の手記「あの日」を読んだだけでSTAP細胞の暗闇について科学者でもない瀬戸内にすべてが理解できるわけがないのではないか。「あの日」は小保方の共著者若山照彦教授こそ捏造の黒幕であるとし、自己の冤罪を一方的に主張しているのであるが、それについては幾つかのマスコミが非難している。手記の主張はあくまで彼女の主張であって客観性にかけるものではないか。ましてや笹井氏という有能な学者の生命が失われた事件でもある。このような場面に門外漢の瀬戸内が小保方の援護者として、したり顔で登場することに私は違和感を覚えるのである。この件一つとっても瀬戸内の行動は無責任、独善的自己顕示そのものであることがよくわかるのである。

第8話

与野党が激突

# テロ等準備罪（共謀罪）と治安維持法

2017年5月22日

今国会も終盤を迎え、現在与野党一番の対決材料となっているのは、共謀罪、正式には「テロ等準備罪法案」である。これには前段があって、すでに存在する「組織犯罪法」に「組織的な犯罪の共謀罪」を付け加える法案が過去2005年（平成17年）と2009年（平成22年）に衆議院に提出されたがいずれも廃案となったいきさつがある。そして、この度2017年の第193回国会に「組織犯罪処罰法」の改正案として、あらためて上程されているのである。これが一般にいわれているところの「共謀罪」、公称「テロ等準備罪」なのであるが、これを巡り前述の通りに与野党が激突しているのである。この法律がどういうものかというと要するに昨今「イスラム国」などによる組織的テロが頻発し、さらに先日は、ロシアでもテロが発生している。これに対応するための法律がこの「共謀罪法案」なのであるが、民進党や共産党は例によって、この法案に対して真っ向から反対している。この法律はあくまで「テロを未然に防ぐためにテロを準備、計画した人を逮捕するための法律」なのである。我が国でもかつて1995年（平成7年）に前代未聞の地下鉄サリン事件が起きており、法の制定が遅すぎたきらいすらある。

# 第一章　法制定の目的

## ◆第1節　国際的組織犯罪防止のための国内法整備

この法案の詳細についてであるが、我が国の刑法においては、未遂罪はあくまで「犯罪の実行に着手」することが構成要件となっており、共同正犯（共謀共同正犯）も同じく「犯罪を実行する」ことが構成要件となっているため、組織的かつ重大な犯罪が仮に計画段階で発覚しても、内乱陰謀（刑法78条）などの個別要件に該当しない限り処罰することもできない。したがって強制捜査も不可能である。ところが2000年（平成12年）11月に国連の総会において、国際的な組織犯罪の防止に関する国際連合条約（国際組織犯罪防止条約、一般にはパレルモ条約といわれている）が締結され我が国においても2003年（平成15年）、国会は承認している。しかし条約締結に先立って国内で必要な手続きがある。具体的には重大な犯罪の共謀、マネーロンダリング、司法妨害などを犯罪とすることを条約は締結国に義務付けたため、この条約の義務を履行し、この条約を締結するための国内法を整備しなければならないのである。そのため刑法の一部を改正して組織的な犯罪などについて共謀罪を創設するための提案がなされたのがそもそもの発端であった。

## ◆第2節　思想信条の自由を制限するものにあらず

法案の提出について詳しくは省くが、２００４年（平成16年）２月に最初の政府案が示されたが野党は反対し、以来今回で３度、若干の修正を加え、法案として提出されたのであるが、その都度「思想処罰の悪法」「戦前回帰」「治安維持法の再来」など、猛烈な反対が出て日の目を見なかった。このように我が国の対応がもたついている内に、あの北朝鮮を含む１８７か国、地域がパレルモ条約を締結してしまい、未締結は、日本、イラン、南スーダンなど11か国というのが現状である。他の主要国は締結済でＧ７の中で我が国のみが、かやの外にあり、参加の遅れのため麻薬取引や人身売買など国際組織犯罪に関する情報の提供や、捜査連携が滞っているのが現状であり、先進国の中で我が国一国のみが未締結とあってＧ７や国連安保理事会において我が国は白い目で見られている。これでは我が国として全く肩身が狭いので３月に「共謀」の定義を狭めた新法案を国会に提出して、５月のイタリアサミットを控え早期成立を目指している。

## ◆第３節　即ち構成要件は犯罪を犯す意図ある準備行為

さて、本年３月21日に政府があらためて提出した法案の中身は次の通りである。なお、野党は未だにこの法律のことを共謀罪法案と呼んで反対を展開しているが、あくまでこれは、

「テロ等準備罪法案」である。政府案の全文についてはネットでも見ることができるので割愛させていただくが、この法律の構成要件の主体は
①犯罪を目的にした組織においてかつ命令する人間が明確で、また何度にもわたって犯罪を犯したことのある組織であること。
②その組織が犯罪を計画し、そして組織の中で犯罪を計画した人間の内、一人でもその犯罪の準備（例・資金調達、物資調達、現場視察など）を行った人たちは全員罰せられる。

これに対して野党、民進党、共産党はこの法案に対して真っ向から反対してる。確かに先にも述べたように我が国の刑法では未遂罪は「犯罪の実行に着手する」こと、また共同正犯（共謀共同正犯）も「犯罪の実行」が構成要件であるから、組織的かつ重大な犯罪が例え計画段階で発覚しても、内乱陰謀などの個別の要件に該当しない限り処罰できず、当然強制捜査もできない。しかし片方にパレルモ条約があり、このために国内法の改定を目指すに至っているのである。

# 第二章　法整備の背景にあるもの

## ◆第1節　テロ防止には準備段階での取り締まりが不可欠

何故テロ等準備罪が必要になるのかといえば、矢張り我が国の治安については長年良かったとはいえ世界的にはテロの脅威は増しており、ご承知のようにこの一年間だけでもアジア圏で十数件のテロが発生している。このようなテロ犯罪を準備段階で取り締まる法律が必要

であることはいうまでもない。まして２０２０年には東京でオリンピック、パラリンピックが開催されることになっており、それに備えるためにもこの法律は必要であろう。日本は安全、という神話はもうすでに例のオウム真理教の事件で崩壊している。

## ◆第2節　観念的平和論による野党の反対のための反対論を排す

それにもかかわらず民進党や、共産党の主張は犯罪に係わっていない人を巻き込むおそれがあると主張し、反対を続けている。彼らがいうのには、犯罪を立証するのは供述である。単に共謀したという供述だけで捜査対象になるとの危険をいい続けている。一方提案する政府側にも問題がある。主管大臣の金田勝年氏のお粗末極まりない答弁が続いており、政府が失点を重ねているのも事実である。しかしながら野党の観念的にして硬直的な態度は問題外ではなかろうか。私が思うに戦後数々の与野党対立のあった60年安保、70年安保しかり、日米ガイドラインの見直しやＰＫＯ法や有事法制、最近でいえば特定秘密保護法、そして集団的自衛権の見直し、また今回のテロ等準備罪についても朝日、毎日などの左翼マスコミ、そして野党はこのような法律が成立したならば「日本は戦争をする国になる」と言い続けているが、実際には全くそうでなかったのではないか。日本がいつ「暗黒社会」になったか。今北朝鮮の核とミサイルの脅威がひしひしと感じられるようになり、尖閣諸島には毎日のように中国艦船が押し寄せている。この現実を野党やマスコミが感じないのが不思議で仕方がない。

### ◆第3節　重大組織犯罪に絞った限定的容認への国民理解の議論を

先日は北朝鮮牽制のため米国空母が日本海に送られたのであるが、その補給のための米艦護衛のため海上自衛隊のヘリ空母「いずも」が随伴した。ようやく我が国もそこまできたかと思い胸が熱くなったのである。もし米空母カール・ビンソンへの補給艦の援護すらできなければ湾岸戦争の二の舞であったろう。さて毎日新聞に「風知草」というコラムがある。このコラムは毎日にしては中立的で、私も納得するところが多いのであるが、先日このように共謀罪について記している。すなわち今回の共謀罪については、国際協調として決まったパレルモ条約のためのものではあるが、矢張り治安立法は薄気味悪い。先にも述べたように日本の刑法では一部の例外を除き、「犯罪の実行に着手」しない限り未遂罪は成立しない。今回の組織犯罪、処罰法改正で市民社会が一気に窮屈になるのか。あくまで重大組織犯罪に的を絞った例外捜査の「限定的容認」といえるのか。その具体的解明が国会の論議に期待されているのである。しかしまともな質問もあるのだが、実際には法相の不手際ばかりがクローズアップされ、それしか見ない国民には理解不能の展開となっている。私も全く同感である。

# 第三章　テロの世界的拡散、歴史的視点からの理解こそ

### ◆第1節　法律全体像の分かりやすい説明で国民に安心を

さらにもう一つ問題となっているのが、本当に国内法に手を付けなければ条約締結ができ

ないのかという考えが片方にあることである。これについては、外務省と法務省が国際法（条約法に関するウィーン条約）に則して他国の法律専門家の批判に耐えうるかどうかを検討し、新法が必要であるとの結論に達し、民主党政権下でも同じであった。現在の民進党は、それを蒸し返して現在の国内法だけで条約締結は可能であるからこの法律は必要なしと言っているのは矛盾もはなはだしい。このあたりをクリアするために国会で納得の行くよう審議されるべきところ、外務省と法務省の連携が十分でないところに持ってきて与党の国会対策が絡み、政府の答弁に矛盾が出て野党は「市民社会を破壊する策謀の証拠」という批判を展開している。この批判は的外れであるが、この法律の全体像を説明しきれない法務大臣を更迭すべきという論もあながちおかしいとは思えない。テレビのニュースなどではこの法相の無様な様子だけを拡大し、放送するものだから、国民はこの法律の本質について理解不能となっているのが正直なところではないか。

## ◆第2節　与党野党の主張をまとめれば

この法律に関しての与野党の端的な主張をまとめると次のようになる。即ち与党の賛成の主旨は、国際組織犯罪防止条約を一刻も早く批准し、海外のテロ情報を収集し、我が国の安全安心を達成しなければならない。そのためにこの法律の早期成立を今国会で成し遂げなければならない。

一方野党の反対の主旨はこの法律は「国家が市民社会に介入する境界線を大きく引き下げる」また「警察の活動領域が大きく拡大し、警察が個人の権利の侵害の高い捜査手法を求める可能性を否定することができない」

与野党の考え方は平行線をたどるが、野党の考え方はとにかく、前に述べたように「戦争をする国になる」という60年安保から最近の特定秘密保護法、集団的自衛権の見直しにつながる観念的平和主義論の継続ではないかと思うのである。この考え方をある雑誌では「戦争をする国になるなる詐欺」といっている。

## ◆第3節　歴史を巻き戻す治安維持法の復活はありえない

最後に昨今の与野党の激突する法案の審議で必ず野党から「戦前回帰」「治安維持法」再来なることが叫ばれるのであるが、余りにも再三再四この法律のことがいわれるので、この治安維持法について触れておきたい。治安維持法は１９２５年（大正14年）に制定された。すなわち１９２０年（大正９年）頃から政府はロシア革命による共産主義思想の移入拡大を脅威に感じ幾つかの治安維持に関する法律を制定していたが、１９２５年（大正14年）１月のソビエト連邦との国交樹立により共産主義革命運動の激化が懸念された結果、この法律ができたのであった。

この法律は「国体を変革し、又は私有財産を否認することを目的として結社を組織し又は事を知ってこれに加入したものは10年以下の懲役又は禁固に処する」ことを内容としていた。続いて１９２８年（昭和３年）にこれに改正が加えられ、構成要件を「国体変革」と「私有財産制度の否認」に分離し、前者に対しては死刑、無期を含む厳罰化が進められた。また、「結社の目的遂行のための行為をなしたる者には２年以上の有期刑に処するという項目が加わった。さらに1941年（昭和16年）5月に改正された。

これによると「国体の変革」結社を支持する結社、「組織を準備することを目的」とする結社（準備結社）などを禁止する規定を創設したことで、これにより官憲により準備行為を行ったと判断されれば検挙されるため、事実上誰でも犯罪者にできるようになった。また、その後取締対象が拡大され、宗教団体（例えば大本教）、学術研究会、芸術団体も摘発の対象となった。そして終戦後1945年（昭和20年）10月にGHQの命令によりこの法律は廃止された。当初この法律はロシア革命後に国際的に急速に高まった国際共産主義運動を牽制することに目的があったが、その後の同法の強化の過程で、多くの活動家や運動家が抑圧され粛清された。有名なプロレタリア文学作家小林多喜二が取り調べ中拷問により死亡したのは有名である。しかし、意外にもこの治安維持法の下で日本内地において死刑判決を受けた人物はいない。この法の下で1925年（大正14年）から1945年（昭和20年）までに7万人が逮捕され、うち7千人が訴追された。なるほど量刑こそ表向きは軽くても拷問や虐待で落命した者は多数存在する。日本共産党の発表によると194名が取調中に拷問、私刑により死亡、さらに1503名が獄中で病死したとされている。また、外地では内地の基準より厳しく、朝鮮では45名もが死刑となっている。さて、治安維持法は戦前、戦時中の我が国の恥部ともいうべきものであるが、絶対主義的天皇制維持には欠くべからざるものであったのであろう。そしてこの法律はあくまで旧帝国憲法のもとで実施されたもので、現在の人権が保障された憲法の下でそのような法律が復活することはない。共産党も民進党も事あるごとに、治安維持法と比較して宣伝につとめるが、極端な比較はやめてほしいものである。

第9話

風雲急を告げる北東アジア

# 捏造国家韓国（白を黒と言い募る異常な国）

２０１７年9月29日

今、北東アジアは、まさに風雲急を告げている。日本を取り巻く状勢、特に北朝鮮は、今月に入り、６回目の核実験を行うとともに、ＩＣＢＭを含むミサイルの発射は、2月以来実に15回に及んでいる。これに対して日、韓、米は、共同して事に当たらなければならないのであるが、このような緊急状況にありながら、韓国の我が国に対する態度は、我々の意識を超えているとしか考えられないのである。朴前大統領の失脚により5月に誕生した文在寅大統領は、盧武鉉元大統領の側近で、極左といってよい思想の持ち主である。選挙中から、日本の慰安婦問題合意について異論を唱え、日本との再交渉を求めており、その他戦時中の韓国人「徴用工」問題、あるいは竹島問題を蒸し返してきており、何時までたっても我が国は、韓国との悪しき因縁を払拭できないのである。どうして日韓関係がこじれるのかを考察すると、矢張り１９１５年から30年間にわたる韓国を日本が統治したことに対する恨み、つらみに行きつくのではなかろうか。そこで先ず、この歴史をひもとき、日本の韓国統治から考えて行きたいのである。

# 第一章　日本による韓国統治の考察

## ◆第1節　日露戦争から韓国併合への歴史

日露戦争は、１９０４年（明治37年）２月から１９０５年９月まで、日本とロシアが争った戦争であるが、欧米の予想を見事に裏切り、我が国は大国ロシアを破ったのであった。この日露戦争の最中１９０４年、日本は韓国（大韓帝国）との間で第一次日韓協約を結び、韓国政府の中に日本から財政外交顧問を送り込み、さらに１９０５年には第二次日韓協約を結び、韓国を保護国化したのであった。具体的には、韓国が外国と自由に条約を締結できないようにした。いわゆる外交権の剥奪である。韓国皇帝高宗は、これに対して、ハーグ事件といわれる抵抗を示したが、英国、アメリカが、ロシアを牽制するため日本側につき、またアメリカはフィリピンの植民地化に日本の賛意を得るためもあり、１９０７年第三次日韓協約へと進んでいく。この結果、日本は韓国の内政権まで握ってしまう。その後１９０９年初代韓国統監を務めた伊藤博文が、満州のハルピンで暗殺されたことを契機に翌１９１０年、日本は韓国に対して韓国併合条約を結ばせ、韓国を併合する。しかし、我が国(当時大日本帝国)は、第二次世界大戦（太平洋戦争）における連合国に対する、１９４５年（昭和20年）８月

15日の敗戦により、韓国に対する実効支配を失う。その後、ポツダム宣言の受け入れにより同年9月2日、日本の朝鮮半島領有は終了する。ところがその後、朝鮮半島は北緯38度線を境に南部はアメリカ軍、北部はソビエト連邦軍が占領することになり、南部には李承晩を首班とする大韓民国が建国され、北部にはソ連のバックアップにより金日成を指導者とする朝鮮民主主義人民共和国が建国された。

## ◆第2節　朝鮮半島を巡る清国との対立

そもそも日露戦争により、朝鮮における日本の朝鮮併合については先に述べた通りであるが、もう少しその内情を明らかにしておく必要がある。何故なら、なるほど日本は朝鮮併合をはたすが、これはただ日本が領土拡張のため推し進めてきたわけではない。その点是非はっきりさせておかなければならない。現在の韓国では只々日本の併合が問題視されているが、これは近視眼的な見方である。それは極東におけるロシアの南下政策に端を発しているからである。ロシア帝国は、極東において不凍港を求めて南進を続け、清国（中国）とは有名なアイグン条約により満州をロシアに割譲させた。日本とは樺太や、ロシア軍艦の対馬占領事件などにより、対立が激化していた。さて、当時の朝鮮は李氏朝鮮により統治されていたが、清朝中国に取り込まれた冊封体制の下にあり、実情は鎖国状態にあった。ロシアはこれに干渉していた。一方明治政府も開国を迫っていたが、李氏朝鮮は日本の行為を、侵略的意図をもった内政干渉とみなし、反発を強めていた。一方清国は、あくまで朝鮮は冊封体制下にある中国の属国であると主張しており、朝鮮に介入する日本との間で関係が悪化していく。このような状勢が続いていた時、朝鮮内部で悪政と外圧を排除しようとする東学党による農民反乱事件がおこる。この事件を朝鮮は自ら解決できなかったため、清国に救援を求める。清国はあくまで朝鮮は属国であるとして派兵を断行する。一方日本は朝鮮の独立に不安を覚え、邦人を守るという名目で朝鮮半島に出兵する。日本は朝鮮における清国が勢力を拡大することに不安を感じ、出兵と同時に本当に朝鮮は独立国なのかどうかという確認を行い、日本は朝鮮の独立のための五か条の改革案を提案した。改革案は受け入れられ、甲午改革が実行された。

## ◆第3節　日清戦争の勝利と三国干渉への反発

しかし、反乱がおさまった後も、改革勢力からの要望があるとして、日本軍は駐留を続けた。一方清国軍も駐留を続行したため、両軍は１８９４年（明治27年）激突し、ここに日清戦争が勃発する。明治維新以来近代化されていた日本軍は、近代化には程遠かった清国軍を終始圧倒し、戦局を優位に進め、朝鮮半島および、中国本土の遼東半島などを占領した。一方黄海において日本海軍は、清国海軍に大打撃を与えたため清国は制海権を失った。この結果、清国は日本との講和を余儀なくされ１８９５年（明治28年）下関条約が締結され、清国は完全に日本の軍門に下った。日本はこの条約により清国と朝鮮との宗属関係を排除し、清国の朝鮮半島における影響力を完全に駆逐した。また日本はこの条約によって、朝鮮における勢力を確固とした他、遼東半島、台湾、澎湖諸島などを獲得し、さらに清国は賠償金２億テール（1テールは銀37・3グラムで７４６万キログラムに相当する）を支払うことになる。

これに後述の三国干渉の代償が加わり合計で銀857・9万キログラム、これは現在価値銀1キログラム12万円として、約1兆294億円にもなる。当時の日本の国家予算は年間8、000万円である。しかし、当時のヨーロッパ列強はこの日本の清国に対する強硬な態度に強い衝撃を受け、フランス、ドイツ帝国、ロシア帝国は下関条約によって清国から日本に割譲されることになった遼東半島を、清国に返却するよう1895年4月に勧告したのであった。これが有名な三国干渉といわれるもので、日本は英・米・伊の協力で何とかこの勧告の撤回を図るが最終的に英米が中立を表明したため、この勧告を受け入れたのであった。しかし、日本は清国との間で遼東半島を返却する代わりにその代償として、3、000万両（4、500万円）を支払うよう条約を結ぶ。しかし、この三国の干渉には日本国民は激しく反発した。特にその後遼東半島の旅順、大連の租借に成功したロシアに対し、敵愾心が燃え上がり、後の日露戦争を引き起こす引き金となった。その後の日韓併合については冒頭に述べた通りである。

# 第二章　第二次大戦後の韓国

## ◆第1節　朝鮮戦争

第二次大戦の後、韓国は独立をはたすが、1950年（昭和25年）6月に北朝鮮軍が突然38度線を越え、韓国に進入した。この戦争により実に300万人の人命が失われたのであるが、力のなかった韓国軍に代わり米軍を主体とした国連軍が韓国側に立って戦争に参加した。一方中国が北朝鮮を支援したため戦況は一進一退を続けたが、決定打がないまま戦争は1953年（昭和28年）7月に終結した。

## ◆第2節　李承晩ラインで日韓国交回復が難航

このような状況の中で日本と韓国が国交を樹立していったが、これは大変な難問題であった。先ず日本は国交以外にも韓国と交渉しなければならない事項があった。それは日本と韓国間の境界線についてである。日本と韓国の国境は戦後、占領軍最高司令官のマッカーサーによって海上に敷かれたマッカーサーラインと呼ばれるものであった。ところが1952年に韓国の李承晩大統領がこの線よりなお日本に近い部分の水域にまで「李承晩ライン」と呼ばれる境界線を一方的に敷き、勝手にこのラインを越えた日本の漁船は、マッカーサーラインより日本側にいても韓国により拿捕されるようになり、乗組員が裁判にかけられたり、やがては韓国軍により銃撃され死亡する事件も出てしまう。このため日本政府は韓国と話し合い、問題解決を図ろうとして日韓会談が開始される運びとなったが、会談は、難航してなかなか妥協点を見つけることができなかった。付け加えると、今しばしば問題となる竹島もこの李ラインが起こした産物である。

## ◆第3節　日韓基本条約成立で奇跡的な経済成長

しかし、会談が始まって実に約10年を経過して、事態が急進展したのであった。このきっかけは、1961年5月に起こった朴正熙少将によるクーデターであった。朴氏は李承晩による失政により世界の最貧国であった韓国を立て直すため、日本との関係改善に動き出す。彼の意図は、韓国の近代化のためには経済開発の資金を日本から得ること、さらに朝鮮戦争が再び起こった時のために日本との関係を良好なものにしておかなければならないと考えた。朴氏の登場と共に1951年から始まって難航していた交渉はようやく両国の改善に向かって動きだし、1965年（昭和40年）6月22日に「日韓基本条約」が締結された。この条約により、戦後日本と韓国の間で正式な外交関係が樹立された。この条約のポイントは何といっても「日本から韓国への莫大な資金協力」が決められたことである。具体的には無償3億ドル、有償で2億ドル、民間借款で3億ドル、合計8億ドルを日本は支払った。貨幣価値を現在に換算すると、1兆800億円という巨額なもので、これは当時の韓国の国家予算の2・3倍に相当するもので、この資金を基に韓国は漢江（ハンガン）の奇跡と呼ばれる経済成長を成しとげたのであった。この経済協力に相対するものとして「韓国の日本に対する一切の請求権の放棄」が決められ、この条約は成立したのであった。

# 第三章　蒸し返される三つの問題

## ◆第1節　従軍慰安婦問題

このような両国が取り決めた背景があるにもかかわらず、韓国と日本の間には今なお、解決されたはずなのに、韓国側の一方的な主張の蒸し返しにより三つの問題が横たわっている。一つは従軍慰安婦問題である。広辞苑には「従軍慰安婦」とは「日中戦争、太平洋戦争期に日本軍将兵の性的慰安のために従軍させられた女性、多くは韓国人女性」と記載されていた。しかし、これには日本の識者から誤ったイデオロギーによる史実と異なる記述であり、このような記載は事実と違うという主張がなされたため、その後広辞苑も後半部は「植民地、占領地出身の女性も多く含まれていた」と記述しているが、何より日本軍が直接慰安婦を管轄していたというような決定的な誤解を与えたのは、1982年9月に朝日新聞が報道した吉田清治なる人物が1943年（昭和18年）に、朝鮮済州島において2000人にも及ぶ韓国人女性を拉致して慰安婦にしたという全くのデタラメな報道が大きな役割をはたしている。この事実は、デマであったにもかかわらず、朝日はこの捏造にこだわり、一昨年32年振りに誤報を認めたが、未だに謝罪していない。この朝日の態度が事実にない慰安婦なるものを独り歩きさせ、日韓関係を抜き差しならぬものにしてしまったことは間違いない。その後韓国は、しつこくこの問題にこだわり続けている。最近では在韓日本大使館前に慰安婦像をおいたり、最近の合意形成後、取り除くとの約束も履行されていない。釜山にも同じ像を建立した。また、アメリカの地方都市などにもその建設を進めていると聞く。最近はソウル市内を運行するバスの座席にも慰安婦像が座っている。しかし、前朴大統領の政権下の2015年12月、日韓外相会談において、日本軍の慰安婦問題を最終的かつ不可逆的に解決するために両国政府間で合意が形成され、日本は10億円供出しているのであるが、本年5月に就任した文在寅大統領は「2015年の合意は国と国との取り決めであるが、私は情緒的に納得できない。」と言っている。いやしくも国家間の合意を「情緒的」に納得できないなどとは先進国と称している大統領の言葉とは思えない。さらに文政権下ではこの「最終的かつ不可逆的な解決を盛った日韓慰安婦合意」の検証が進んでおり、報告がまとまる来年以降に日本に何らかの対応を求めてくる公算が大きい。韓国は、一方的に戦争中の慰安婦について言い募っているが、「ライダイハン」という言葉を皆さんご存知か。「ライダイハン」とは韓国がベトナムに派兵した兵士とベトナム人女性との間に生まれた子供で、韓国軍撤退、その後のベトナム共和国崩壊により取り残された子供のことである。その数については諸説があり正確な数は不明であるが、最大3万人ともいわれている。原因については韓国軍兵士による強姦、兵士や民間人が妻と子供を捨てて無責任にも帰国したとする現地婚、あるいはベトナム人女子は美人が多いので、強制的に慰安婦（非管理売春）にされた、など諸説がある。これに加えて韓国兵によるベトナム民間人の虐殺問題があり、これについては長らくタブー視されていた。しかし、1999年この事実が韓国のマスコミの一部で報道されたが、これはその後報道したマスコミに元兵士が攻撃を加えるなど大問題となり、韓国の恥を内外にさらした。韓国政府もライダイハンの救済に動き、客観的に立証できる場合は、韓国国籍の付与を検討したりしている。いずれにしてもこのような問題を引き起こして全く無責任にも長年にわたり放置してきた韓国に、日本の従軍?慰安婦問題を一方的に取り上げる資格などないと思うが如何であろうか。

## ◆第2節　徴用工問題

次に取り上げるのは「徴用工」問題である。この問題は、戦後の国交正常化交渉の主要議題の一つであった。「徴用工」とは、日中戦争で深刻化した労働力の不足を補うため、日本政府は国家総動員法と国民徴用令によって民間人を軍需工場や炭鉱などに動員した。戦火の拡大によって当時日本領であった朝鮮半島にも及んだのである。徴用された人員は公式な記録は残っていないが、研究者の調査では70万人とも80万人ともいわれているが多すぎると思う。これについては、国交回復の際結ばれた請求権協定の第2条1項において「日韓両国と国民の財産、権利および利益、ならびに請求権に関する問題が完全かつ最終的に解決された」と明記されている。実際韓国政府は、日本政府が拠出した経済協力資金の運用に関する法律を制定し徴用で死亡した人に対して一人当たり30万ウォンを支給している。しかし、この請求権問題については協定で何が解決し、何が未解決なのか論争が続いていて１９９０年代に元徴用工やその家族から日本政府や企業に損害賠償を求める裁判が次々と提起された。しかし、２００７年4月、日本の最高裁判所は「完全かつ最終的に解決済み」と判断を下した。一方韓国においては盧武鉉大統領の時代に何が解決され、あるいは何が未解決なのか詳しく検証したのであったが、その際存在が知られていなかった慰安婦、韓国人原爆被爆者については請求権協定では解決されていないと結論付けたが、元徴用工については韓国でも救済のために立法措置がとられているとして「解決済み」と判断され、韓国の政府、裁判所もこの立場を踏襲してきた。ところが２０１２年、韓国の最高裁判所による判決により、この問題が再浮上したのであった。すなわち請求権協定によりこの問題は解決済みであり、被害者個人の損害賠償を求めることはできないとされてきた判決を取り消し、裁判をやり直すように高等裁判所に差し戻したのであった。理由は「日本の国家権力が関与した反人道的不法行為や植民地支配に直結した不法行為による損害賠償請求権は、請求権協定によっても消滅しない」ということであるが、全く感情的、恣意的な納得できないものである。この判決以来、韓国国内では、日本企業に損害賠償を命じる判決が続出したのであった。確かに日本で動員され働かされた人々の労働条件が、劣悪であったことは事実である。しかし、かならずしも全部が全部そうであったわけではない。櫻井よしこ氏は、ダイヤモンドのオピニオン№.1195で、先ず徴用工は、悪名高い韓国映画「軍艦島」（全て虚構）に描かれているような強制労働ではない。そもそもこの徴用工問題に火をつけたのは反日日本人達で、この人達による戦後補償問題が世の中に出てくる前に徴用工自身が出版した鄭忠海氏の「朝鮮人徴用工の手記」によれば、彼自身の経験から当時の徴用工に対する扱いは常識的なもので、ひどい扱いを受けたとは書かれていない。さらに櫻井氏は我が国の人口統計から見て、朝鮮から渡日した人々の多くが出稼ぎ移住であったと指摘している。実際終戦当時、国内の事業現場で働いていた朝鮮人は約32万３０００人、軍人軍属が約11万３０００人、計約43万６０００人である。他方、終戦時の在日朝鮮人は、約２００万人であるから朝鮮人口の８割が戦時動員でなく自らの意思により渡日した出稼ぎ移住であったことは明白で、前述の徴用工70万～80万人などという数字は、確たる裏付けのないものである。もう一つ、櫻井氏は、同志社大学の太田修教授の研究から請求権交渉の際、日本政府は朝鮮人徴用工一人一人に対して援護措置を考えていたのに、韓国側は「国内問題としてあくまで処理する。個々の労働者への支払いは、我が国自身で行う」と主張したため日本は当時の手持外貨が15億ドルしかなかったのに、その内から５億ドルを支払ったとしている。さて、韓国の最高裁判所がいついかなる最終判断を下すかであるが、もし最終的に原告の主張が認められ日本企業に損害賠償の支払いが認められると、1965年の請求権協定で決着した問題がすべてご破算となり、日韓関係を揺るがす大問題となるであろう。特に日本企業の韓国での活動が不能になるというような深刻な影響が出てくると思われる。2017年5月に就任した文在寅大統領は、8月17日「両国間の合意は、個人の権利を侵害できない。徴用された個人が相手会社に持っている民事上の権利はそのまま残っているとするのが最高裁の判決である。政府はこの立場で歴史問題に臨んでいる。」と述べたが、まさに韓国政府の方針転換といえる。これは、文大統領も当時の大統領秘書官として加わっていた2005年に首相主宰の官民協同の委員会が「強制労働に従事した徴用工に関しては、日本から受け取った3億ドルの資金により包括的に勘案されているとみなければならない。」との明記は、どうなったのであろうか?しかし8月27日文大統領は安倍首相からの懸念に対し前言をひるがえし、この問題は解決しているとの立場は変わっていないと一転「踏襲」を宣言した。このように双方の外交努力によって解決し、封印された問題を再び蒸し返す韓国の態度は、両国の関係において何一つプラスにならないであろう。北朝鮮の核実験、ミサイル発射で朝鮮半島の状勢は風雲急を告げている。今ほど日本と韓国の緊密な連携が求められる時はないのではないか。それにもかかわらず韓国の政府司法当局は感情に流されがちな世論に迎合することは、北朝鮮の思うつぼではないか。両国が積み重ねてきた努力を間違った方向に持っていこうとしている韓国には正直うんざりするのである。

## ◆第3節　竹島問題

最後に、竹島の問題にふれておこう。竹島については、先に述べたように李承晩が敷いた李ライン設定時に韓国が実効支配している。しかし、竹島が我が国の領土であることは、江戸時代の後半から我が国の漁民がアシカやアワビ漁のため竹島と行き来していた事実は否定しようがない。1900年代初頭、隠岐の島民からアシカ漁の基地として、竹島を安定的なものとしてほしいとの要望が高まり、1905年(明治38年)閣議決定により島根県に編入し、領有を確認したのであった。その後我が国の主権行使に他国から抗議を受けたことはなかった。すなわち我が国の領有権は、国際法上確立していたのである。第二次世界大戦後、韓国は、竹島をサンフランシスコ平和条約における日本の放棄すべき地域にすることをアメリカに働きかけるが、アメリカはそれを拒否し、同条約発効後米空軍の訓練地域としたいと我が国に申し入れていた。このことからも、竹島が我が国の領土であると認められていた事は明白である。しかし、前述のとおり1952年（昭和27年）李承晩は、竹島を国際法上何等根拠がないにもかかわらず、一方的に韓国領とし、実効支配しているのである。我が国は韓国にこの問題を国際司法裁判所に提訴することを3回も提案してきたが、裁判に至れば敗訴することがわかっているため韓国はこれに応じず現在に至っている。韓国の主張する竹島は竹島ではなく、実際は鬱陵島であることは明白である。

**第10話**

**歴史を紐解き本当の姿を知ろう**

# 日本共産党について（羊の皮をかぶった狼）

2017年11月30日

10月22日投票が行われた第48回衆議院選挙において、共産党は21議席から9議席を減らし、12議席に終わった。選挙において各党各々熱のこもった運動を展開していたが、特に日本共産党の運動は他党に比較して、極めて熱心でいささか狂信的ですらあった。

ポスターも垢抜けしてソフトムードをかもし出している上に、志位和夫委員長自らテレビや街頭演説で、硬軟入り交じった語り口で大衆に語りかけている。しかし、表面的には柔軟かつ建設的な共産党の政策に従えば、安倍反動内閣は瓦解し、あたかもユートピアが誕生するかのような口調に決してだまされてはならないのである。先に小選挙区で9議席減の12議席に終わったと書いたが、一方もう一つのバロメーターである比例区の獲得数でも前回の6、063、000票から4、400、000票へと大きく減らしている。そこで今回は、日本共産党の本当の姿について少し論じたいと思っている。それでは、先ず日本共産党の成り立ちから話を進めていきたい。

# 第一章　戦前の非合法化時代

## ◆第1節　結党後コミンテルンの傘下へ

日本共産党の歴史は古い。1922年（大正11年）7月（9月説もある）に堺利彦、山川均、荒畑寒村を中心に創立された。他に幹部としては野坂参三、徳田球一、佐野学などがいる。当時すでに、共産主義国家ソヴィエトを形成していたロシアの共産主義運動における力は強く、ソ連主導による共産主義インターナショナル（Communist International）略してComintern（コミンテルン）が世界の共産主義運動を牛耳っていた。当然生まれたての日本共産党もコミンテルンの傘下に入り、コミンテルンの日本支部日本共産党となった。設立当時から日本共産党は「君主制の廃止」や「土地の農民への引き渡し」などを求めたため、当然治安当局からは弾圧を受け、治安警察法などの治安立法により非合法化された。さらに主要幹部が一斉に検挙されたため運動は困難となり、1924年（大正13年）共産党は解散の憂き目にあう。

## ◆第2節　非合法な地下活動を合法組織に入って支援

その後1926年（昭和元年）共産党は、荒畑寒村等により再建されたが、コミンテルンの考え方に強く左右された。大変わかりにくいのであるが、その後共産主義者達は、非合法化された日本共産党本体と労農党のような合法政党や労働団体などの諸団体に入って活動する。この再結党された共産党を第二次日本共産党と呼ぶが、その際理論的な指導者となったのが福本和夫であった。彼の理論は福本イズムといわれ、レーニンの考えを継承して純粋な共産主義の党をつくることを目的としていた。当時福本の他に党を指導する幹部となったのが、市川正一、佐野学、徳田球一、渡辺政之輔などであった。ところが1927年（昭和2年）またもやコミンテルンから指導が入り、福本和夫は失脚させられる。後を継いだ渡辺ら日本共産党の代表は、コミンテルンと協議して新たに共産党の目標として「中国侵略と戦争準備に反対する闘争」を党の緊急焦眉の義務と位置付けた。一方当時の党の組織は、非合法の党本体と、先にも述べたように労農党や労働組合などの諸団体に入って活動する合法部門の二つの柱があって、非合法の地下活動を展開しながら、一方では合法の組織に参加して活動を支えた。例えば宮本百合子、小林多喜二らのプロレタリア文学者は独自に活動して、社会に大きな影響を与えた。1927年の衆議院選挙においては有名な徳田球一他何名かが労農党から立候補し、またこの選挙中に日本共産党を名乗る印刷物が発行され物議をかもした。この選挙では、後に暗殺された山本宣治が当選した。彼は非公式であったが、共産党の推薦を受けており、初めての日本共産党系の国会議員が誕生したのであった。しかし、1928年（昭和3年）の3・15事件、これは、当時の日本帝国政府が、私有財産制を否定する国際共産主義運動を警戒して、同年3月15日に治安維持法により、共産党員および無産政党の支持者1、600名を一斉検挙した事件であった。また翌1929年（昭和4年）4月15日にはさらに1、000名を検挙したため日本共産党は多くの活動家を失い壊滅したのであった。上記の山本宣治も右翼団体員により刺殺された。その後、戦後右翼に転向したが、理論に優れ、行動力にも富んだ田中清玄が指導者となり、1929年（昭和4年）から30年にかけ、一連の暴力事件を起こす。1931年（昭和6年）9月に起きた満州事変以降は、戦争反対の活動に力を入れるようになる。

## ◆第3節　コミンテルンの二段階革命路線に従い活動

しかし、翌1932年（昭和7年）にコミンテルンが新しい活動方針を示した。即ち「絶対主義的天皇制と地主的土地所有者ならびに独占資本主義を打倒するブルジョア民主主義革命を通じて社会主義革命を達成する」という二段階革命路線が示されたため、共産党はこの方針に従い行動するようになった。その後1932年以降、党内で当局の撹乱による大塚スパイ事件が起こり、党内は疑心暗鬼となり混乱した。実際特高警察は、共産党を壊滅させるため、共産党内部に工作員を送り込み、党内部に協力者をつくったり、工作員自らが党の幹部となり、彼等の働きで暴力事件を起こさせ、日本共産党の社会的な信用を失墜させ、後継者の加入を阻止して党を壊滅させる作戦をとった。加えて1933年（昭和8年）に逮捕されていた委員長の佐野学や幹部の鍋山貞親の獄中からの転向が出て大量の転向が起き、党内の結束は乱れ動揺が激しくなり、中央部の機能は停止して、統一的な運動は不可能となった。1936年（昭和11年）以降の戦争の最中においては何とか苦境を脱しようとするこころみがあったが、当局の弾圧は厳しく、野坂参三は中国の延安に亡命し、組織的な活動は頓挫せざるを得なかった。

# 第二章　戦後の紆余曲折の歴史

## ◆第1節　ゼネストで敗北、武装闘争路線で分裂

1945年（昭和20年）8月15日の日本の降伏後、日本共産党は徳田球一を書記長として、合法政党として再出発する。これにより獄に下っていた幹部は出獄し、1946年（昭和21年）の総選挙においては5議席を獲得し、初めて帝国議会に議席を得たのであった。日本国憲法制定前の時期に「日本人民共和国憲法草案」を発表し、現在の日本国憲法制定時には「天皇制の存続による民主化の不徹底」や「自衛戦争の否定」などを理由に反対投票した。それなのに何故現在改憲に反対するのか？敗戦により解放された共産党は急激に勢力を拡大していった。各地域、職場、学校などに細胞と呼ばれる支部組織をつくり、学生運動や労働運動を展開する。そして1947年（昭和22年）に吉田内閣打倒のためゼネストと呼ばれるゼネラル・ストライキの実行を全国的に進めるが、総司令部マッカーサー元帥の命令により中止のやむなきに至り、これは共産党の敗北に加え、その後の労働運動に大きな影を落とした。その後、日本国憲法のもとにおける第23回総選挙、第1回参議院選挙、また第1回

地方選挙では主張が過激すぎると思われたのか、思ったより票が伸びず4議席に終わったが、1949年（昭和24年）の総選挙では一躍35議席と、9倍に増やし、注目された。1950年（昭和25年）5月GHQのマッカーサー元帥は、共産党の急激な伸張に危機感をいだき、日本共産党の非合法化と徳田球一、野坂参三、志田重男、伊藤律以下9名の幹部を公職から追放した。公職追放と逮捕状の出た徳田、野坂等は直ちに非合法活動に移行し、中国に亡命した。そして日本には、所感派といわれた徳田球一が指名した臨時中央指導部が残ったのであるが、これについては異議を唱えるものがあり、共産党は所感派と、後の委員長宮本顕治らの国際派、春日庄次郎らの日本共産党国際主義派等の大小の派閥に分裂した。しかし、当面党を指導した所感派は、山村工作隊などさまざまな違法な非合法破壊活動を繰り返し、これらの武装闘争路線は国民に全く受け入れられず、1952年（昭和27年）の総選挙では全員が落選するという厳しい局面となった。この武装闘争路線について、政府は早速反応した。即ち1952年の破壊活動防止法（略して破防法）の制定である。破防法の対象となる破壊的団体の規制に関する調査を行うのが公安調査庁であるが、発足した時点から一貫して日本共産党をその監視対象としている。この破防法と共産党との関係については後ほどさらに触れたいと思っている。

1951年（昭和26年）9月にサンフランシスコにおいて講和条約が結ばれ、日本は主権を回復したのであるが、これにより公職追放も解除された。徳田は北京から地下放送で武装闘争を指示したが、所感派の中でも徳田と野坂が対立した。その中で1953年（昭和28年）徳田が死亡する。

## ◆第2節　武装闘争路線を放棄し自主独立路線へ転換

１９５５年（昭和30年）７月、日本共産党は第６回目に当たる全国協議会（六全協）を開催し、従来の中国革命方式の武装闘争方式を放棄した。そしてこの大会で志賀義雄、宮本顕治らの旧国際派が主導権を握った。ここで宮本は再統一を優先して党員各自の活動歴を不問としたのであった。この結果、旧所感派の野坂参三を第一書記として「再統一」がはかられたのである。さらに１９５８年（昭和33年）の第７回党大会で宮本顕治が書記長（後に委員長）となり、この大会で１９５０年（昭和25年）から１９５５年（昭和30年）までの分裂と混乱を批判し、その軍事路線は、ソ連、中国による干渉と徳田、野坂の旧所感派による暴力革命が可能であるとした政治情勢でないにもかかわらず、武装闘争をすすめた極左冒険主義であるとして批判している。これ以降外国の干渉を受けない自主独立路線をとることになった。この突然の日本共産党の武装闘争路線からの変更は、各方面にショッキングなものであった。しかしこの方針変更が大きなしこりを残したことは否定できない。何故なら共産党は、１９５１年（昭和26年）10月の第５回全国協議会において「日本の解放と民主的変革を平和の手段によって達成しうると考えるのは間違いである」とする「51年綱領」と「我々は武装の準備と行動を開始しなければならない」とする「軍事方針」を決定していた。そして昭和20年代の後半には全国的に数々の暴力的破壊事件を引き起こしている。しかし前述の通り、この過激路線は国民からボイコットされ、１９５２年（昭和27年）の衆院選挙では全員落選したのであった。ところで現在の共産党は「昭和20年代後半における暴力的破壊活動は分裂した一派が行ったことで、党としての活動ではない」とぬけぬけと主張している。しかし、共産党が一連の暴力革命に向ってひきおこした破壊活動は厳然とした事実であり、司法からも党の活動であると認定されている。共産党は、1955年（昭和30年）7月に開いた全国協議会で20年代後半にしでかした武装闘争を「革命情勢でもないにもかかわらず武装蜂起した極左冒険主義である」と自己批判し、次いで1958年（昭和33年）の第7回大会で暴力革命唯一論の立場に立った「51年綱領」を「一つの重要な歴史的な役割をはたした」と評価した上で廃止したのであった。大変自己中心的な自己批判であって、数々の人命を奪った革命路線をその程度で片付けるのは言語道断と思うが、如何であろうか。この大会で党の新綱領を決めようとしたが、革命の基本認識などで反対意見が多く出て党内意思統一を図ることができなかった。その結果規約のみを承認し綱領決定は先延ばしとなった。

## ◆第3節　二段階革命の綱領、暴力革命の方針を採択

その後宮本顕治書記長が力を発揮して、その指導の下で3年間にわたる党を挙げての綱領論争を展開したが、規約、綱領反対派に対する幹部の除名を経て1961年（昭和36年）7月、第8回党大会が開催された。そこで「現在の日本を支配しているのはアメリカ帝国主義とそれに従属して同盟関係にある日本の独占資本である」とする現状規定と民主主義革命から引き続き社会主義革命に至るという「二段階革命」方式を規定した現綱領が採択されたのであった。一方、革命が「平和的となるか非平和的となるかは結局敵の出方次第による」とするいわゆる「敵の出方論」による暴力革命の方針が示された。これは大変重要なことで日

本共産党の本質は、現在でも「暴力革命」にあるということを国民はあらためてよく認識する必要がある。その後の共産党は、宮本顕治が独裁的な党運営を行い、党を完全に牛耳った。党内では親ソ、親中路線など数々の問題も抱えたが、日本共産党独自路線を貫いた。一方1991年（平成3年）12月にソ連邦およびソ連共産党は解散するが、日本共産党は、宮本の下では、社会党との共闘や創価学会との提携などの問題も起こっている。しかし、表面的に平和革命路線を推進し、宮本穏健路線を貫いた結果、1979年（昭和59年）の総選挙では39名を獲得したが、その後は自民党やサンケイ新聞からの「自由を守れ」キャンペーンがマイナスとなり、議長が宮本から不破哲三を経て現在の志位和夫に変わる中でも一進一退の議員数であり、2017年（平成29年）の総選挙では大幅に議員数を減らした。また、総得票数も最低となったのである。しかし、日本共産党は2017年1月現在約30万人の党員を擁し、西側の諸国では最大の規模となっている。国会議員は先の選挙で衆議院議員は12議席と減ったが、なお参議院には14名と、馬鹿にならない勢力を保っている。また地方議会においては2800人を抱えている。

# 第三章　日本共産党の真の姿

## ◆第1節　二段階革命論の考え方

さて、最近あるマスコミにこんな話が出ていた。「最近の若い人々には共産党は保守政党と思っている人が結構いる」と。何故なら共産党の主張は10年1日の如く変わらないからである。即ち「憲法9条改正反対」「自衛隊の海外派兵絶対反対」「消費税反対」「大企業及び高所得者への課税促進」などその主張は全く時代に合わないままで、むしろ自民党の方が時代に即して変わって行っている。と、若い人は思っているのではないか？

ここで余り一般の国民が知らないことを紹介しておこう。このことは先にも少し触れたが、もう少し詳しく書くと日本が敗戦して１９４６年（昭和21年）に新しい憲法が公布されたのであるが、この憲法は俗にマッカーサー憲法といわれるように、連合国側から全くの押し付けられた憲法であるが、一応国会において審議され、旧大日本帝国憲法を改憲したという形式をとっている。この審議の際、当時の自由党（現在の自民党）をはじめ全ての保守革新政党が新憲法案に賛成したのであるが、共産党一党のみそれに反対した。理由は、「主権在民と天皇制の両立はあり得ない」このことは共産党の基本テーゼ通りであるが、もう一つ、これが重要なのであるが「この憲法では9条のもと、日本に自衛権がなく、これでは日本の主権と独立は守ることはできない」これが彼等の反対の理由であった。現状はどうか。「9条改正絶対反対」である。このことは国民のほとんどは知らないが、是非覚えておいてほしいのである。日本共産党が目指すのは当然社会主義革命なのであるが、現状の日本では一足飛びにここに到達するのは無理と考え、２００４年（平成16年）につくられた彼等の綱領では先に述べたように次のとおり定めている。即ち「我が国は高度に発達した資本主義国でありながらも、国土は軍事などの重要な部分はアメリカに握られ事実上の従属国となっている」このような現状の中で、日本に必要なのは社会主義革命ではなく「民主主義革命」であり、次の段階において社会主義革命を目指すとしている。これが即ち二段階革命論で、これは

1961年（昭和36年）につくられた綱領から続いている。戦前の考え方は「絶対主義的天皇制を廃止するためブルジョア革命を起こし、次いで社会主義革命を起こせ」と定義しており、基本的には同様の考え方である。これは1917年（大正6年）のロシア革命において、当初の2月革命ではケレンスキーを指導者とするブルジョア革命に端を発し、その後レーニンの指導のもとにボリシェヴィキによる社会主義革命、即ち10月革命によりソヴィエトが成立したことが頭にあるのであろう。

## ◆第2節　社会主義的変革の内容

さて、共産党が先ず目指す民主主義革命とは「日本共産党とアメリカ帝国主義と日本の独占資本の支配に反対する統一戦線が国民多数の支持を得て、国会において安定した過半数を占めるならば、統一戦線の政府、民主連合政府をつくることができる」として単独政権ではなく統一戦線に基づく連合政権を目指している。また「国会を名実ともに最高機関とする議会制民主主義体制、反対党を含む複数政党制、選挙で多数を得た政党または政党連合が政権を担当する政権交代制は当然堅持する」としている。ずい分ソフトな物いいであるが、日本共産党が、当面民主主義革命を成就したあかつきには、社会主義を支持する国民の合意を前提に、国会の安定した過半数を得て社会主義を目指す権力をつくり、次のような社会主義的変革を目指すとしている。即ち

①資本主義を乗り越え、社会主義、共産主義の社会へ前進をはかる。
②主要な生産手段の所有、管理、運営を社会の手に移す生産手段の社会化。

③民主主義と自由の成果、資本主義の価値ある成果のすべてを受け継ぎ発展させる。
④思想、信条の自由、反対政党を含む政治活動の自由を厳格に保障する。
以上に述べたように日本共産党の路線は、平和路線である。

しかしながら、私は次の通り考えるのである。

民主集中制を日本共産党はとっている。この民主集中制とはもともとロシア革命において、レーニンが共産党の運営方針として党員による民主主義的選挙によって選出された指導部を中心として、中央集権的に党組織を運営するのであったが、レーニンからスターリンに権力が移行した時点でこれは言葉だけで民主集中制の名のもとに共産党一党独裁のツールとなってしまった。事実選挙によってという言葉も名前だけで、ソ連共産党、中国共産党などすべて選挙という言葉は有名無実である。我が国の共産党も現在の志位委員長が全党員の民主的選挙から選ばれたのかどうか私にはわからない。民主集中制の名の下に独裁が行われていると思う。ましてや現在の委員長より不破元委員長に実権があるとも聞くが何をかいわんや、である。

## ◆第3節　日本共産党の目論見と怖さ

さて、前記の①〜④の社会主義共産革命への道程を批判してみよう。

①の資本主義を乗り越え、社会主義、共産主義社会への前進をはかる。これはスローガンとしては大変結構であるが、ロシアに始まって現在真の共産主義国家など存在していないことは、皆さんご承知の通りである。中国は政治的には共産党一党独裁によるいびつな資本主義

国家である。
②主要な生産手段の所有、管理、運営を社会の手に移す生産手段の社会化。これはソ連、中国、ベトナムなどほとんどすべての国でことごとく失敗に終わった道筋ではないか。あらためて日本の社会を国営化するなどその非効率を考えると今さらどうしてこのような考えが出てくるのか、噴飯ものである。
③民主主義と自由の成果、資本主義の価値ある成果をすべて受け継ぎ発展させる。このようなことでは、社会主義、共産主義の意味を全く失ってしまうのではないか。一般大衆に対するリップサービス以外の何ものでもない。
④思想、信条の自由、反対政党を含む政治活動の自由を厳格に保障する。
　共産党が天下を取れば前にかかげたことは一切ご破算になるであろう。そうしなければ彼等の主義を貫き通すことができないからである。このようなことを本気で考えているなら、議会で反対党が民主的選挙で多数を取り戻すなら元の木阿弥ではないか。甘い言葉には虫酸が走る。

　多少話は違うが第一次世界大戦後、ナチスドイツが急速に台頭して１９３７年（昭和12年）ヒットラーが党首である国家社会主義労働党が議会において第一党となり、合法的に政権を握ったのであるが、一度政権の座についたヒットラーはその後、独裁に転じた。まして仮に日本共産党が合法的にあるいは他の左翼政党と共同で民主連合政権ができた場合、絶対に彼等は政権を手離すはずはない。彼等はそのまま手段を選ばず共産党独裁に移行していくであろう。これが日本共産党のあからさまな目論見であることは間違いない。そのことが十分わかっているから公安調査庁、警察庁は、共産党を破壊活動防止法（破防法）に基づく調査団体として指定しているのである。

２０１６年（平成28年）３月の時点においても日本政府は「現在においても共産党は破防法に基づく調査対象団体である」としており、共産党が「暴力革命」の方針を捨てていないと認識している。日本共産党の実態、こわさについては書ききれないが、我々はこの現状には細心の注意を払っていかなければならない。

羊の皮を被った狼こそ日本共産党の真の姿である。

第11話

可視化された改正刑事訴訟法

# 日本版「司法取引」規定の新しい姿

2018年6月30日

## 第一章　刑事訴訟法の改正

### ◆第1節　法改正の目的

去る5月24日に可決成立した刑事訴訟法等の一部を改正する法律、すなわち改正刑事訴訟法が6月1日から施行された。今回の改正が主眼としているのは、企業犯罪の摘発を目的とする日本版「司法取引」の規定が新たに設けられたことである。この制度は、容疑者や被告が他人の犯罪を明らかにすることにより、検察官が起訴を見送ったり求刑を軽くしたりできる制度である。一方この「司法取引」の新設と並んで取調べの録音、録画の導入による可視化が取り入れられた。

今回は「司法取引」について触れていくことが目的であるが、この可視化ということも極めて重要な事項である。従来からいわれているのであるが、我が国の刑事手続は、検察、警察による過酷な取り調べによる自白を重視する点に問題があるといわれてきたのはご承知のとおりであり、それにより多くの冤罪事件が発生したことも事実である。可視化を進めることによって違法な自白強要があったかどうかが一目瞭然になるといわれており、これにより適正にして公正な刑事手続きを確保する一方、これまで立件や立証が困難であった汚職、詐欺、横領や独禁法違反等の企業犯罪の捜査の効率化を図るため、先に述べた司法取引の規定が新設され、さらに組織的な窃盗、詐欺やその他児童ポルノ事件などの摘発を目的とした、通信傍受の拡充もなされることになった。

## ◆第2節　法改正の概要

もう少し詳しく概要を述べると、

1．取調べの可視化

裁判員裁判の対象となる重大な事件において警察および検察は逮捕、拘留されている被疑者の取調べを行う時は、その全過程を録音、録画することが義務付けられた。さらに公判の段階で被告人の供述の任意性が争点になった場合には、取調べを録音、録画した記録媒体の証拠調べを請求しなければならないことになった。従来は、任意性が争われた場合には通常取調べを行った捜査官の証人尋問が行われていたが可視化により、より明確な立証が可能となったのである。

2．司法取引（合意制度）の導入

一定の薬物銃器犯罪あるいは経済犯罪を条件に検察官が、被疑者、被告人と取引きすることが可能となった。被疑者および被告人が他人の犯罪事実を明らかにするために供述や証言等をする代わりに、検察官が不起訴や求刑の軽減等の合意を行うことができる。これは裁判所で自己に不利益な証言を行う代わりに裁判所の決定で免責することが可能となる。

3．通信傍受の拡大

法改正以前は、薬物、銃器犯罪に限定されていた通信傍受の対象事件に、殺人、誘拐、詐欺、窃盗、児童ポルノ事件が追加された。ただし、これはあらかじめ役割の分担が決まっていて、これに基づき行動する人の結合体によりことが行われると疑うに足る状況を要件として通信の傍受を行うことができると規定されている。まわりくどいいい方であるが、これは要するに昨今増加の一途をたどっている振り込め詐欺等を念頭においている。

4．司法取引（合意制度）

さて、今回の改正の目玉は何といっても司法取引（合意制度）にある。これをもう少し詳しく見てみると、改正刑事訴訟法350条の2項によると、①特定の財政経済犯罪および薬物銃器犯罪において、②被疑者、被告人が共犯者等「他人の刑事事件」に関して③取調べの供述、公判等で証言、証拠の提出等を行い④検察官がその行動の見返りに被告人、被疑者に対して不起訴、公訴取消、特定の訴因、罪状の加減、略式即決手続きに対する等の合意をすることができることになった。この合意をするに当っては、それにより得られる情報、証拠の重要性、犯罪への関連性あるいは犯罪の重要性等を考慮して必要性を判断することになる。また、この合意をするためには、かならず弁護人の同意が必要となった。（350条の3、1項）そして対象となる特定の犯罪とは、汚職や横領等の刑法犯（350条の2、2項1号）組織犯罪処罰法違反（同2号）に加え租税法、独占禁止法（独禁法）、金融商品取引法（金商法）

が挙げられている。

# 第二章　司法取引制度の特長

## ◆第1節　アメリカの司法取引制度との違い

この「司法取引」制度が、アメリカの「司法取引制度」すなわち端的にいうならば自分の犯罪を認める代わりに刑を軽くしてもらうのとどう異なっているかについては①特定の犯罪に限定していること②他人の刑事事件と関連性があること（他人の犯罪を明らかにすること）③協議合意の過程に弁護人の立会いが義務付けられていることである。

一方企業犯罪や組織犯罪においては、首謀者や背後にある関係者の関与状況を含め、事実の解明を図る必要がある。そのためには末端の実行者など組織の内部から供述を得る必要がある。司法取引とはこれを可能にするものなのである。したがってこの取引として想定されるのは、企業犯罪や組織犯罪において末端の犯罪の減免を約束し、組織上層部の犯罪について証言を求めるケースが多いと思われる。

## ◆第2節　個人責任より社会正義を優先

しかしながら「司法取引」制度は特定犯罪に関する他人の刑事事件について検察官による証拠収集に被疑者、被告人が協力した場合、その見返りとして刑事責任の減免を受けることである。検察官に他人の刑事事件を供述して自己の刑事責任を減免してもらうという主旨については、従来から日本人が有している道徳観とは相容れないものがあるのではないか。いい換えるならば一般国民の正義感とは相反する点があると思う。これは、言葉は悪いが小物に対して餌を与えることにより、大物を釣り上げようとするものではないか。しかし、このようなことが許される背景は、あくまで個人の責任よりも悪を懲らしめるという社会責任が優先するという考え方によるものであろう。

## ◆第3節　独禁法のリーニエンシー制度

読者の皆さんには独禁法の談合事件でいち早く公取委員会にその事実を通報した者は、免責されるという制度が導入されていることをご存知と思う。これは企業が公正取引委員会に談合などの不正を申告すると課徴金の減免が受けられる「リーニエンシー制度」というもので、これについては法務担当者の間である程度定着している。このリーニエンシー制度は企業側がルール通りに手続きをすれば公取委員会が成立を認めている。このことは独禁法違反などの企業犯罪は捜査、立証が困難で内部の精通者による協力が重要だということであろう。最近の独禁法に関連する事件の最たるものは、JR東海によるリニア中央新幹線の関連工事を巡る不正受注事件である。この事件は東京地検の特捜部によりスーパーゼネコン4社が摘発されたもので、特捜部は、公取委員会と共同で総工費9兆円に昇るプロジェクト全体を検証すると伝えられている。この事件は大手ゼネコン4社即ち大林組、大成建設、鹿島、清水建設が、JR東海が発注した工事22件の内15件をほぼ均等に受注したもので、さらに、その他7件においても受注調整が明らかになっている。本件に関しては4社の内大林組が公取委に対して共謀を認めたと報じられた。公取委の課徴金制度では違反を自己申告すれば金額が減免されることになっている。余談ではあるが、世界で初めてのリニア工事は未だにどこの建設会社も経験したことのない工事の上、山岳地帯を走るトンネル掘削を含む難工事であり、この工事を円滑に行える業者はスーパーゼネコンに限定されるから、このように法に厳格にのっとり事を進めた場合、工事ができなくなるのではないかと心配する向きがあるのも事実である。

# 第三章　司法取引制度導入のポイント

## ◆第1節　内部関係者の捜査協力が重要

さて、前に戻って今回の司法取引制度の導入は、まさに先に述べたように捜査、立証が困難なため内部の関係者による協力が重要であるという観点に立つものである。この制度は自己の犯罪事実ではなく、「他人の刑事事件」に関して捜査協力を行うことがポイントで、企業犯罪にとって「他人」には他社の他に自社の取締役等の役員や従業員等が含まれる。談合事件の場合は競合他社によって抜け駆けされる危険を考えておけばよいのであるが、司法取引においては役員の一部や従業員によって捜査機関にリークされるという事実が発生することが予想される。もし、これらの企業犯罪に疑いがかけられた場合、これまでも企業は一体となって対応する検討を行ってきたが、この制度の導入によりさらに企業内部での対応が重要になってくるのではないか。すなわち企業としての対応が定まらないうちに一部の従業員からリークされ捜査が入るという事態をも想定して対応する必要が生じてくるからである。しかし、一方で独禁法の通報制度が拡充されたと見て会社と捜査に協力して免責を得るということもできるようになる。

## ◆第2節　司法取引の対象となる犯罪

さて、先にも若干触れたが今回の「司法取引」の対象となる犯罪は、刑法と組織犯罪処罰法が規定している一部の犯罪の他、脱税や談合などの「財政経済犯罪」である。新聞報道によると贈収賄事件で起訴された人員は２００６年には２２０人いたが、２０１６年には61人と、大幅に減少しており、密室で巧妙に行われている犯行の摘発が難しい。今回の法改正が摘発の大きな武器になることが期待されている。

## ◆第3節　司法取引制度の懸念事項

一方、制度において懸念されているのが「無実の人の巻き込み」で、これを回避するため先にも述べたように弁護士が協議に立ち会って取引（合意）に同意すること、虚偽の供述や偽造証拠の提出には5年以下の懲役といった防止策も同意されている。しかしながら、取引を合意した内容は公判で明らかにされ、裁判官によっても吟味されるし、また捜査機関も当然客観的な証拠で裏付けしたうえ慎重に協議するであろうが、それでもなお「巻き込みの危険性」は残るのではないかと心配する向きもある。

もう一つ、この制度は捜査機関にとってはたしかに新しい武器にはなるが、反対にこれはもろ刃の剣ではないか。取引が常に行われるようになると、取り調べで「取引を約束してくれないと何も供述しない」との姿勢で臨んでくる容疑者や被告が増える可能性すらある。

このような状勢から検察幹部も基本はあくまで従来の捜査であり、新しい制度をひんぱんに使うことについては慎重に臨む模様である。

最後に一つ触れておきたいのは、本件に関し法改正施行以前にはマスコミもよく取り上げて批判していたにも拘わらず、この一か月全くこの問題を取り上げなくなったのには私としては多いに不満とするところである。

第12話

# 日本にとって台湾とは何か

## 純然たる植民地であった

2019年4月27日

かつて私は我が国が明治維新以来、どのような経過で韓国を併合したかについて説明した。端的にいってこれはあくまで、日本が南下を図るロシアを食い止めるためのやむにやまれない行動であったことは、多少なりともご理解頂けたと思う。日本が武力を持って韓国を植民地化したという短絡的な朝日新聞的な考えは、全く間違ったものであることは理解されたのではないかと思う。

もう一度復習しておくと、明治の初年に存在していた李氏朝鮮は、独立国家として存続していく素地もまた意欲もなかったのである。彼等はただ清朝の狗であり、清朝が衰えればロシアに頼る。自主性を全く欠いていたのである。日本としては先ず李氏朝鮮の宗主国清国を排除すべく日清戦争を戦ったが、戦後三国干渉を受け、一応独立らしきものをした大韓帝国が、ロシアと緊密な関係を結び我が国を排除したため、やむなく乾坤一擲ロシアに勝負を挑み勝ち取った結果が朝鮮併合であった。

それではもう一つの台湾はどうであったかであるが、近代史を教えないため多くの日本人は、日本と台湾の関係に無知な人が大半と思うので、この際台湾について詳述しておくと、台湾は日清戦争により清国から割譲されたもので、朝鮮とは違い純然たる植民地であった。

そもそも台湾島は地図で見ればわかるが、中国大陸の西岸、すなわち中国の浙江省、福建省から約200キロメートルの台湾海峡をはさみ存在している。面積約36,000平方キロメートルを数える独立した島である。なお台湾の西方約50キロメートルの地点に面積約140平方キロメートルの澎湖諸島がある。北海岸は東シナ海、東海岸は太平洋に面している。日本列島の終点ともいうべき場所で、東西400キロメートル、中央部には3,000メートル級の山々が連なり、平野部が少ないことは、我が国と同様である。

# 第二章　オランダ統治時代

## ◆第1節　ポルトガル人が台湾本島を発見

さて中国は事あるごとに、台湾は、有史以来中国の一部であるといいつのっており、台湾の開放を主張している。台湾が何時の時代から中国の版図に編入されたかについては諸説があり明らかではないが、上述の澎湖諸島に元代に巡察司が設置されたという記録があり、太古の昔から中国本土に隷属していたものではないことは確かである。実は台湾本島を発見したのは15世紀に大航海時代の先鞭を切ったポルトガル人で、西太平洋を航行中、緑したたる美しい島影を発見してフォルモッサ（美麗島・うるわしの島）と名付けたとされている。種子島に鉄砲が伝来されたのは1543年であるが、この発見は翌年1544年と推定されている。丁度時を同じくして室町時代の衰退と戦国時代の到来による混乱に乗じて東アジアの海域を荒らしまわっていたのがいわゆる「倭寇（わこう）」である。倭寇とは、九州、四国、瀬戸内海を根城として活動する「武装強制貿易集団」のことで、この集団の中には日本人だけではなく、かなりの朝鮮人や中国人も加わっていたことから、東アジア海域のいわば「連合武装勢力」で、李氏朝鮮はもとより当時の中国の明王朝は国をあげて倭寇退治にのぞんだものの、その勢力はすさまじく、明王朝衰亡の一端となったとさえいわれている。この連中がかっこうの巣窟としていたのが澎湖諸島であり、さらに追撃されると逃げこんだのがこの台湾本島であった。

ポルトガル人が発見した頃の台湾には少数の漢族系の移民の他、現在高山族といわれている（日本統治時代は高砂族という）、マレー、ポリネシア系の人々が先住していた。

## ◆第2節　オランダが中継貿易の基地として領有

さて、台湾島の領有が確認できる初めての勢力は、ポルトガルやスペインのアジア進出に大きく後れを取ったオランダであった。オランダは、1596年に現在のインドネシアのジャカルタ（バタビア）に上陸し、まもなく植民地を経営するための目的会社である「東インド会社」をつくり、バタビアを拠点として中国や日本との貿易に乗り出し、そのための中継基地として台湾に目をつけた。そして最初に澎湖（ほうこ）島を攻めるが明王朝の抵抗に遭い、いったんは後退するが再度澎湖島を攻め占領したのであった。明にとって澎湖島は重要な場所であったから全力をあげて反撃に移り、8か月に及ぶ攻防の末明王朝は、オランダの澎湖諸島からの撤退を条件にオランダの台湾占領を認めると共に、オランダとの貿易に同意するという停戦協定案を提示した。オランダにしては思ってもいなかった好条件であったからこの条件を受け入れたのであった。

明王朝がどうしてこのように簡単に、オランダの台湾島占領に同意してしまったかというのは、もともとこの土地は蛮人の住む、また疫病が猖獗（しょうけつ）する不毛の土地として領土とは見なしていなかったからに他ならない。

台湾を占領したオランダは、直ちに大員（現在の台南付近）に要塞を築いた。オランダは、台湾を中継貿易の基地として日本、中国各地との貿易により膨大な利益をむさぼったのであった。一方オランダは台湾の農業開発にも努め、砂糖産業の育成など着々と成果をあげていった。もともと台湾の南部は砂糖キビ栽培に適した土地であり、オランダが領有する以前から砂糖の生産が行われていた。オランダは砂糖輸出の利益に着目して砂糖の増産に取り組み、重要な輸出産業に成長させたのであった。砂糖産業はその後ほぼ３００年間に亘り、台湾の輸出産業のチャンピオンであり続けた。ところが一方で、中継貿易の拠点として台湾に目を付けた国があった。

## ◆第3節　スペインが領有に食指

すなわちすでにフィリピンを攻略していたスペインが動き出していた。オランダの台湾進出を知ったスペインは、フィリピンとバシー海峡をへだてて隣接する台湾の確保に食指を動かしていた。また、それは日本や中国との貿易をオランダに独占されることに懸念を抱いたことも大きな理由であった。

１６２６年5月、スペインはマニラから艦隊を派遣してわざわざオランダとの衝突をさけ、台湾の東海岸を進み現在の基隆付近に上陸した。オランダはこれを排除しようとしたが、南部の経営に全力をあげていたため逆にスペインに撃退され、スペインの北部占領を食い止めることができなかった。しかし、スペインの台湾北部経営はマニラからの補給が台風などのために難しかった上に、先住民による襲撃やマラリアなどの風土病に難儀して思うような中継貿易や、カトリック布教などが進まなかった。このように防衛体制が弱体化したところを見計らったオランダは、１６４２年の夏、艦隊を派遣して約３か月間の攻防の末、同年９月基隆を陥落させ、ここに17年間にわたったスペインの台湾北部占領は幕を閉じた。

オランダの植民地経営は過酷なものであった。すなわち開発の労働力として、対岸の中国から多くの移民を導入して酷使したうえ重税を課したので、移住民の不満とうらみは年と共に増大し、ついに郭懐一を首領とする大反乱が勃発する。数の上では蜂起した移住民集団が勝っていたが、オランダの近代的兵器にはなすすべがなく敗退したのであった。

# 第二章　中国による台湾統治の始まり

## ◆第1節　「反清復明」の拠点として鄭一族が統治

１６４４年明朝が滅亡し、混乱状態におちいった中国に満州族の王朝である清が進出してきた。これに対して明朝の皇族や旧臣達が「反清復明」を掲げ、清朝への反抗を繰り返したのであったが、その反抗の主力となったのが明王朝により招撫された当時東アジア海域に勢力を張る海賊の頭領鄭芝竜で、明はその軍事力と資金力に期待をかけたのであった。しかし清の勢力は益々強まり、鄭芝竜はだまし討ちにあい捕えられ、妻の日本人で後の「国姓爺鄭成功」の母は自殺を遂げる。「国姓爺」の物語は近松門左衛門の筆により我が国では有名である。鄭成功は、若年ではあったが智謀軍略にすぐれ、父の跡をついで「反清復明」を貫き清朝に抵抗し、清への反抗の拠点を確保するために台湾のオランダ東インド会社を攻撃して１６６２年にオランダ勢力を台湾から駆逐することに成功する。台湾の漢民族による統治は、この鄭成功の政権が初めてである。こうしてオランダはバタビアに撤退して38年間にわたる台湾支配に終止符がうたれたのであった。

鄭成功は、台湾に移ると直ちに彼の大軍とその家族を養うため、合わせて当時すでに人口10万人にまで増加していた人口対策として、東インド会社の土地を没収して着々と業績をあげていったが、まもなく彼はおしくも「反清復明」の志をとげないまま39歳の生涯を閉じてしまう。さらに成功の後を受け奮戦した鄭経も成功の死から19年後、父と同年で死去する。「反清復明」の鄭氏一族が台湾に移ると清国政府は直ちに封鎖を断行した。具体的には台湾に対する広東、福建、浙江、江蘇、山東の五省の住民を沿岸から30里（1里576メートル）の内陸に移し、この間での立ち入りを禁止した（遷界）。さらに海禁と称して漁船や商船の出入港を禁じた。ところがこの封鎖作戦により中国との密貿易が必要となり、かえって台湾の海上貿易の発展を促すという結果になった。台湾は対中密貿易の一大拠点となり、貿易による利益は増えたのであった。これに従い中国沿岸、ことに福建、広東の住民が次々と台湾に移住するようになり、人口増加にともなって土地の開拓も進み、耕地面積の増加とともに食糧の生産は著しく増えたのであった。これにより鄭氏政権の食糧の自給が確立した。しかし一方財源確保のため、鄭氏政権のとった徴税政策はオランダ支配時代よりさらに苛酷なものであった。また「反清復明」の軍事作戦が継続されたため、その費用は膨大なものとなり、それを穴埋めするための重税により次第に住民の怨嗟の念は高まり、鄭氏政権から人心は去っていった。

一方鄭氏政権の内部においても内紛が絶えず、骨肉の争いを重ねるようになり、政権は末期的な症状におちいっていった。中国本土における反対勢力を完全に駆逐した清朝は、この情勢を見ていよいよ台湾の攻略に乗り出す。1683年清朝は300隻の艦船と2万の軍勢により先ず澎湖島を制圧し、ついに本島の鄭氏政権は崩壊したのであった。23年間の鄭氏による支配はここに幕を閉じ、清国による統治が始まったのである。

## ◆第2節　清国の消極的な台湾統治政策

清は鄭氏の政権を滅ぼしたが、意外にも台湾の領有そのものには消極的であった。当初台湾に関しては「放棄論」が支配的であった。その理由は、台湾は中国から離れた孤島（化外の土地）であって、古くから海賊や逃亡犯など無法者の巣窟であるとして、その領有は無益であるとの主張が有力であった。しかし澎湖島は軍事的な価値があるとして、領有して東シナ海の前線基地とすべきという考え方が有力であった。しかし台湾を放棄して中国からの移住民を引き揚げるという考えは非現実的であるとして、またそれを強行すると彼等は深山に逃げ込み先住民と結んで、さらに中国内地から犯罪人を含む密航者と結託し徒党を組んで、中国沿岸を襲う海賊行為を行う懸念がある上、何よりも放棄に伴いオランダが再度台湾を占領するおそれもあり、最後に１６８４年5月台湾を直接領有するとの皇帝による決定が下され、以後２１２年間にわたって台湾は清国に属することになった。

清国の台湾経営は１８７４年（明治7年）の日本による台湾出兵までは、消極的な経営に終始した。その経営の方針は、台湾が再度海賊などの巣窟となり反政府勢力の根拠地となることを防ぐのを目的としていた。しかし清国がいくら消極的政策をとっても、対岸の福建や広東からは多くの漢民族の移住が続き、農業を中心に台湾の開発は着々と進行していった。清朝政府は厳しく渡航制限を課したが、台湾への渡航（密航）は増加するばかりであった。

清朝政府が島内において一番心を砕いたのは、住民の反乱防止であった。そのために種々の方策がめぐらされた。一例をあげると中国からの移住民と先住民が手を結ぶことをおそれ、先住民と移住民との居住地域を隔離して境界線を設け、先住民を封じこめると同時に移住民に対しては越境を禁じ、先住民との交流や通婚まで禁止する徹底ぶりであった。さらに移住民の武器の保有を防ぐために、鉄および鉄製品の移入、また農機具の製造まで政府が関与したのであった。極め付けは、台湾は熱帯および亜熱帯で竹林が広範囲に自生しているが、住民が竹槍などの武器として用いることをおそれ、竹を伐採して移出、また輸出することを禁じたのである。

中国の歴代の王朝にならい清国政府は、厳罰を伴う多くの禁止令を出したが、時間の経過と取り締まる役人の腐敗によってなしくずしに破られていった。清国政府の台湾経営で、消極的かつ治安維持政策に重きがおかれていたのにはそれなりに理由があったと思われる。212年間の清国統治の間、実に100件以上の武力蜂起や騒擾事件が起こっている。それらは主に移住民によって惹起されたもので、その理由は政府、官吏の汚職に対する不満が爆発したものであった。

## ◆第3節　欧米列強と日本が台湾へ進出

さて清国とイギリスの間で1841年9月に勃発した阿片戦争のさなか、イギリス艦隊は突然台湾沖に姿を現し基隆港の制圧を試みたが失敗した。これが欧米帝国主義列強の台湾に対する最初の行動であった。つづいて1854年7月アメリカのペリー艦隊が日本との和親条約を終えた後、基隆港に来港して約10日間停泊し、失踪した水兵の捜索と称して内陸にまで上陸した。ペリーは帰国後台湾が中継貿易の拠点として適地であり、その占領を主張する報告書を提出したが実現しなかった。その後1856年10月のアロー号事件の結果、1858年6月に天津条約が結ばれ、その結果台湾の淡水、基隆、安平、高雄が開港した。宣教師によるキリスト教の布教まで認められた。

日本は明治維新後、日清両属（帰属があいまいな）の琉球の処遇に苦慮し、かつ台湾の存在にも興味を示していた頃の1871年（明治4年）、宮古島島民の遭難事件が起こった。これは宮古の八重山から首里王府に年貢を納め帰途にあった船4隻の内、1隻が台湾近海で遭難、乗組員54名が牡丹社部落の台湾先住民により殺害されるという事件であった。日本政府は厳重に抗議したが清国政府は、先住民は国家統治のおよばない化外の民であるとして取り合わなかったため、先に述べたように1874年（明治7年）日本は台湾に出兵した。日本はこれを機会に琉球の日本領有確認と、台湾進出を同時にはたすことを目論んでいたが、前記のように外交交渉では埒が明かず、台湾南部への出兵に踏みきり、50万両の賠償支払いとその他に被害者遺族に対して10万両の弔慰金が支払われることで日本は撤兵したのであった。これにより台湾の一部占領は実現しなかったが、琉球の日本帰属を間接的に清国政府に認めさせたのであった。

その後1884年（明治17年）～1885年の清仏戦争において、フランス艦隊が台湾北部への攻略をはかり、台湾北部の基隆に上陸したが、結局台湾北部の占領をはたせなかった。この結果清国はあらためて台湾の重要性を再認識して台湾防衛の強化に乗り出し、1887年（明治20年）には台北と基隆間に鉄道を敷設するなど近代化に乗り出している。

# 第三章　日本の統治時代

## ◆第1節　日本政府は台湾総督府を設置

　1894年（明治27年）7月、日本は清国に対して宣戦布告し、日清戦争が開始された。前回の朝鮮の項でこの成り行きについてかなり詳しく述べているので概略を示すと、この戦争は朝鮮半島における李氏朝鮮を巡る日本と清国との争いであった。日清戦争は9月の平壌の戦い、黄海海戦での日本連合艦隊の勝利、さらに11月には日本軍は旅順攻略をはたし、翌1895年（明治28年）2月清国北洋艦隊の降伏と続き、日本の勝利は決定的となった。この戦いで勝利が確定的であることを見越して日本政府の内部では、戦後我が国がとるべき政策として、台湾を領有すべきとの強い意見が浮上してくる。この意見を日本大本営は受け入れ、1895年1月澎湖列島の占領を決定し、同年3月下関で対日講和条約会議のさなか、澎湖島を占領する。こうすることによって講和条約において台湾の日本への割譲がなされるよう日本政府は事を運んだのであった。

　1895年4月に調印された日清講和条約は遼東半島と台湾を日本に割譲するものであった。この事実は台湾に事前に知らされることはなかった。

　英、仏などの列強は日本の台湾領有を阻止すべく一部行動に移るが、大勢をくつがえすことは難しかった。しかしこれらのことを何も知らされなかった台湾住民の落胆は大きかったが、その中から今こそ台湾の独立をはたそうという動きが強まり、にわかに独立へ向かっての準備が進められ、１８９５年5月「台湾民主国独立宣言」が宣言された。しかし諸外国の承認を得られないまま日本軍の進撃により、この企ては水泡に帰したのであった。

日本政府は日清講和条約締結の後、台湾内部の動きと外国の干渉をおそれ、間髪を入れず台湾の受け渡しと占領を急いだ。日本軍は１８９５年5月29日、意表をついて基隆港の南に上陸し、台湾民主国の主力となっていた清国の駐在兵を撃破して、6月７日には台北を占領した。このまま行けば台湾全域の制圧も簡単と思われていたが、南部への作戦は予想外の抵抗にあい、苦戦を強いられ、11月になってようやく全島の平定を完了した。しかし、台湾人の抵抗はゲリラ戦として続き、一時台湾北東部の宜蘭が包囲されるまでに至った。日本軍も反撃してこの時、実に２８００人の台湾人犠牲者が出た。

日本政府は、台湾総督府を置き初代総督として海軍大将樺山資紀を任命した。総督には行政長官であると同時に軍政および軍令を統治する軍事長官としての権限を与えた。このため総督の地位は絶対で、まさに台湾に君臨する皇帝であり、台湾では「土皇帝」といわれた。このように軍人による総督は原敬による政党内閣が生まれて文官総督が就任するまで続いた。

清国から割譲された当時の台湾の人口は先住民が45万人、移住民が２５５万人で、合計約３００万人といわれている。台湾の住民に対しては、国籍の自由が与えられたが、積極的に日本国籍に応じた住民は少なかったと思われる。日本政府としては住民に対して積極的に台湾からの退去を求めなかった。それは風土病（マラリア）や衛生状態の悪い当地に直ちに日本人を移住させることは難しく、台湾の開発と経営に必要な労働力の確保という点から住民の流出を望まなかったのである。

## ◆第2節 「生物学的植民地経営」の実践

ここで触れておかなければならないのは、1898年（明治31年）3月に第四代総督として陸軍大将児玉源太郎が就任したが、その際民生長官として赴任したのが後藤新平であった。後藤は医師出身で、彼の持論である「生物学的植民地経営」を実践したのであった。

少々長くなるが、彼は「魚の比良目の目は頭の一方についている。鯛の目は頭の両方についている。これは生物学上その必要があってそうなっているのであって、政治にもそのことが大切である。台湾を統治するにあたって先ず島の旧慣習をよく調査研究してその民情に合うように私は統治をしたのだ。このことをよく理解しないで日本内地の法制をいきなり台湾に輸入、実施しようとしても、それは比良目の目をいきなり鯛の目に取り替えようとするやり方で、それでは本当の政治はできない。」

この考えのもとに彼は台湾の実状を徹底的に科学調査して台湾統治の政策と法案を立案したのであった。

こうして後藤長官のもとで「土匪（ゲリラ）」の鎮圧を進める一方、台湾財政の独立と統治の基礎が確立されたのであった。最も後藤とても植民地経営が「慈善事業」でなく軍事力を背景としたものであることは充分に承知していた。軍事力で抵抗を抑えるためには、またしても武力行使ということになる。後藤は「土匪」対策としては徹底してアメとムチの併用でのぞんだ。すなわち近代的建物や、電気、水道、鉄道などを整備して住民の懐柔をはかると同時に抵抗の鎮圧には警察を中心とする非情なまでの手段による「秩序維持政策」でのぞんだ。後藤は警察組織を全島のすみずみまで張り巡らせ、「土匪」や「匪徒」には厳罰で臨んだ。まさにその刑罰は峻烈なもので、後藤の就任から1902年（明治35年）までの5年間で処刑された「土匪」は32、000人に達し、台湾人口のおよそ1%を超えたのであった。

一方後藤は先にもふれた台湾経営の基礎となる土地調査、旧慣調査、人口調査を行い、産業振興のためのインフラ（交通、港湾、運輸）の整備に着手した。さらに「農業は台湾、工業は日本」という分担政策のため、台湾での農業振興政策が採用され大規模な水利事業を完成させ、製糖業や米の品種改良が積極的に行われた。新種の「蓬莱米」はその成果である。

後藤は「教育は諸刃の剣」との考え方から台湾人に対して必要以上の教育をほどこすことには消極的であった。しかし、やがて産業の発展に伴い総督府は近代産業に従事できる労働者や下級官吏、中堅技術者が必要になってきた。このため教育制度の拡充が図られ義務教育制度が施行され、台湾人の就学率は1943年（昭和18年）には71%とアジアにおいては日本に次ぐ高い水準となっている。

義務教育以外にも実業系の教育機関がつくられ、台湾の行政、経済の実務者の養成を行うと同時に日本に大量の台湾人が留学した。なお1928年（昭和3年）には台北帝国大学が設置されている。

## ◆第3節　抗日運動は武力抵抗から合法的な政治運動へ移行

さて統治者である日本政府に対する抗日運動は依然として続いていた。例えば1912年

（大正元年）の樟脳の日本企業独占に抵抗する「北埔事件」または日本企業に林野を払い下げることに反対する「林杞埔事件」1913年（大正2年）の「羅福星事件」などがあったが、いずれも官憲により鎮圧された。ところが1915年（大正4年）6月に大規模な蜂起である「西来庵事件（タバニー事件）」が起こる。この事件は「大明慈悲国」を建国する企てで、台湾全土に及び、多数の処刑者が出た。

さて原住民蜂起の最大事件は、1930年（昭和5年）5月に起こった霧社事件である。詳細は省くが、日頃からの差別待遇や強制的な労働供出について不満を持っていた霧社セデック族（原住民）が立ち上がり、日本人を標的として襲撃した事件で132名の日本人が惨殺された事件である。

1915年（大正4年）の「西来庵事件」を境に漢族系台湾人の大規模な武力抵抗は抑えられた。1917年（大正6年）から第一次世界大戦が始まり、日本も参戦したが、戦場はヨーロッパであったから、日本は中国のドイツ植民地を攻める程度でむしろ戦争景気を存分によくしたのであった。台湾もそのおこぼれにあずかり多数の台湾人学生が日本本土に留学して高等教育を受けている。

同年11月にロシア革命が起こり、社会主義政権が生まれ、植民地の解放と民族の独立が唱えられた。またアメリカのウィルソン大統領は、大戦の講和に向けて「民族自決」を唱えて植民地支配下の人々に大きな希望を与えた。

これらの影響で、1919年（大正8年）3月朝鮮で独立を目指す「3・1事件」が起こったことは前巻で書かせて頂いた。一般論としては異民族による植民地統治は被支配民族の伝統や文化に干渉して政治的な従属と経済的圧迫を加えるため、必然的に抵抗運動を惹起する。日本の台湾統治も例外ではなかった。

抵抗運動には武力によるものと政治運動とがあるが、台湾の場合は前記のように、武力抵抗運動は１９１５年（大正４年）の大事件を境に下火となり、代わって合法的な政治運動へと移行していった。政治運動にはいろいろな形で行われたが、１９２１年（大正10年）頃から日本統治下の台湾の、自治を目指す合法的な民族運動である「台湾議会設置請願運動」が始まり、以後１９３４年（昭和９年）まで14年にわたりこの請願運動は続く、この請願に対して日本政府は、当面は自治の獲得が目的であっても最終的には独立を目指すものとして警戒し、帝国議会はこれを採択せず、台湾議会の設置は実現しなかった。

確かに後藤新平が懸念したように、教育の充実は台湾人の民族意識を呼び起こして植民地支配への抵抗運動を促したが、日本の台湾統治の最大の「遺産」はインフラ整備における教育の充実であり、これがあったからこそ植民地から解放された台湾人の、近代的な市民としての目覚めが進んだことは間違いない。

当時の台湾は衛生状態が極めて劣悪で、マラリアを始め多くの疫病が蔓延していた。特に飲み水の病原菌による汚染が甚だしかった。後藤は近代的な上下水道を完成させた。また台湾南部の乾燥と塩害対策として、日本人八田與一が烏山頭ダムと用水路を完成させ、このダムの湖畔には地元民の手により八田の銅像がつくられ、未だに命日には地元民による慰霊祭が行われている。

## ◆第４節　太平洋戦争勃発で近代的工業が伸長

太平洋戦争が勃発すると、台湾は日本の南方進出の前進基地として重要な戦略拠点となる。そして軍需に対応できるよう台湾の工業化が図られた。

日中戦争が始まる１９３７年（昭和12年）までの台湾の工業は、農産物加工業程度であったが、見る見る内に軍需関連産業が育成され、鉄鋼、化学、紡績、金属、機械など近代的な工業が伸張した。そして１９３９年（昭和14年）には工業生産が農業生産を上回ったのであった。

工業化の進展に伴い、インフラの整備がさらに進められた。具体的には公営鉄道は９００キロメートルまで延長され、基隆や高雄などの港湾は整備拡張され、主要都市には水道が引かれ、一部には下水道も敷設された。空港も軍用を含め台北など９か所を数え、衛生施設も総合病院がつくられ、これにより伝染病はほとんど無くなった。

本来、日本政府は台湾人に兵役の義務を課さなかったが、戦線の拡大により兵員が不足するとともに、台湾人を軍属や軍夫として徴用し、大量に前線に送った。それだけでなく１９４２年（昭和17年）４月から名目は志願兵であったが「徴兵」が始まった。そして１９４４年（昭和19年）までの３年間で陸軍の特別志願兵約６０００名、さらに約１１、０００名の海軍志願兵が投入されたのであった。戦局の悪化に伴い１９４４年９月にはいよいよ徴兵制が施行された。皮肉なことにこの徴兵制に合わせて翌年の衆議院選挙法の改正により、わずか５名ではあったが台湾人を帝国議会に送る国政参加の道が開かれた。もっともこれは日本の敗戦により幻に終わった。

# 第四章　第二次世界大戦以降

## ◆第1節　蔣介石率いる中華民国の台湾占領

1945年（昭和20年）8月の第二次世界大戦終了後、連合国に降伏した日本軍の武装解除のために、蔣介石率いる中華民国、南京、国民政府軍の二個師団12、000名と官吏200名が1945年10月17日に米軍の艦船で台湾の基隆港に上陸し、即日台北に進軍した。国民党政権は戦勝国とは名ばかりで、米軍の全面的な支援を受けての台湾占領であった。この時の国民党軍の低い志気とわびしい身なり、劣悪な装備を目のあたりにした台湾人は、日本軍とのあまりの相違に驚愕して日本が中国に敗れたとはとても信じられなかった。

国民党軍への驚愕と失望は「祖国復帰」に一抹の不安を抱かせたのであったが、まもなく台湾人は厳しい現実に遭遇する。中華民国軍が台湾に来てから婦女暴行や強盗事件が頻発した。さらに行政公所の要職は、新米の外省人が占めたがその官僚の貧官汚吏の様子は、日本の教育が浸透して法治国家の市民に成長していた台湾人の目には「祖国」の官吏の腐敗ぶりは考えられないものであった。当然台湾人の気持ちの中に「祖国」と国民党政権への失望と軽蔑の念が芽生え、日を追ってこれが膨らんでいったのである。

国民党は台湾という領土に加え日本企業をすべて接収したのであるが、これにより文字通り莫大な財産を手中にしたのであった。これは数年後に実施された政権の台湾移転、いわゆる台湾人のいう「祖国の台湾逃亡」を助けて余りあるものであった。

国民党政権は台湾占領後、日本との関係を断ったため、台湾経済は中国経済の一環となったが、当時の中国経済は対日抗戦に続く国共内戦で疲弊を極め、崩壊寸前の状態にあり、今までの台湾は日本に輸出していた米や砂糖が中国向けに振りかわるのは良かったとして、中国から輸入される日用雑貨品や工業製品は、物資の欠乏とインフレの高まりにより物価上昇はうなぎ昇りで、輸入品の価格はそれに連動するため台湾の物価を上昇させ、台湾経済を破綻に追い込んだ。

このような経済情勢の悪化に加えて失業者の急増による社会的な混乱も深刻化しつつあった。日本の敗戦により大量の留学生が日本から戻り、また軍人、軍属、軍夫が帰島したためこれらの人員を受け入れる場所がなかったのである。戦争中の爆撃により操業不能となった工場や、さらに稼働できる工場への就職についても国民党政権の意図的な台湾人排除により就労の機会が極端に減少し、実に30万人の失業者が巷に溢れたのであった。（総人口はこの時点で約６００万人）治安は急速に悪化して日本統治時代の「法治国家」から「無法地帯」に成り変わってしまったのであった。

知識人の間からしばしば長官公署（総督府が中国支配によりこの名称に変わった）にさまざまな要望がなされたが、いずれも言を左右にしてうやむやに処理され大衆の不満は鬱積していった。

## ◆第2節　一般大衆の不満が「2・28事件」へ発展

1947年（昭和22年）2月27日、淡水市の商店街で密輸タバコ売りの取り締りに端を発したいざこざがたちまち全台湾に広がり、「2・28事件」に発展した。長官公署は総督府と同様タバコを専売局の専売品としており、これは重要な財源であったが、裏で長官公署の高官や担当者が大量のタバコを密輸して稼いでいた。いわば密輸タバコの元締を放置しておいて末端の小売人ばかりを摘発する当局の姿勢に日頃から一般大衆は不満をいだいていた。

くわしい状況は、本省人の取締員6名が中年の寡婦から商品の密輸タバコを取り上げ、それだけでなく所持金まで没収したため彼女は跪（ひざまず）いて現金の返却を哀願したが、返却されないばかりか銃で頭を殴打され、血を流して倒れた。憤慨した民衆が一斉に取締員を攻撃したため彼等は逃げながら発砲し、これが市民に命中して即死させたため群衆は激高して専売局に抗議、職員を殴打し、さらに長官公署前広場に集まり抗議デモを行ったところ、突然憲兵が屋上から機関銃を発射、数十名が死亡するという大惨事となる。これに加え万余の市民が抗議に加わったため台北市内は騒然となり戒厳令が発令された。しかし市民は放送局を占領して全台湾に事件の発生を知らせたため事件は全島に波及した。この結果、民衆代表からなる「タバコ取締流血事件調査委員会」が結成され、代表が陳儀行政長官のもとに派遣され「2・28事件処理委員会」の設置を要求し、①戒厳令の解除、②逮捕した市民の釈放、③軍、警察の発砲禁止、④官民合同の事件処理委員会の組織等を長官に約束させた。しかし、これは長官始め当局の時間稼ぎにすぎなかった。彼等は密かに本土の国民党政権に増援部隊の派遣を要請するとともに、危険人物のリストを作成して台湾人の大粛清を目論んでいたのであった。

1947年（昭和22年）3月8日中国からの増援部隊11、000名が基隆と高雄から上陸し、そのまま手あたり次第に台湾人に発砲した。そしてそれはその後2週間台湾全土に及び、台湾人の抵抗は完全に鎮圧されたのであった。

市民に対する虐殺だけではなく「粛奸」工作、「清郷」工作と称して戸籍調査の名目で全面的な捜査と逮捕を開始した。「粛奸」「清郷」の対象は直接事件に関与した者はもとより無関係の多くの社会的指導者にまで及び、危険人物と思われる民主代表者、教授、弁護士、医師、作家、教師などの大勢の知識人が逮捕された。これは国民党当局が日本教育を受けた知識人を根こそぎ粛清するのが目的であった。あまりに過剰なまでの鎮圧と殺戮に対し国際社会、特に米国は厳しく蒋介石を批判した。このため4月22日陳儀長官は免職となり、その後中国共産党との内通容疑で処刑された。「2・28事件」に関連して1か月間に殺害された台湾人は28、000人を数える。これは日本の50年間の統治において武力抵抗したために殺された台湾人の数におおよそ匹敵する数字である。

中国国民党政権は、共産党との内戦の形勢はますます不利となり1949年（昭和24年）8月1日蒋介石は台湾に移った。蒋介石は戒厳令を敷き、知識分子、不穏分子を弾圧して開発独裁を行う。

国民党政権により接収された当時の台湾は、政治的にも失政が続くが経済的には混乱を深め、なかでもインフレの昂進はすさまじく、1945年（昭和21年）から50年までの間の物価の上昇は1万倍となり混乱を極めた。

## ◆第3節 「奇跡」の経済成長と民主化

しかし朝鮮戦争を機にしての「台湾海峡中立化」により、台湾は内戦により疲弊した中国経済から解放され、国民党は台湾の経済再建ならびに復興に専念することができた。そして「奇跡」といわれる経済成長をなしとげるのであるが、この基にあるのは矢張り日本から引き継いだ「遺産」という恩恵である。

米国の援助と日本からの借款供与も大きかった。さらに１９７０年（昭和45年）代、80年（昭和55年）代、90年（平成2年）代と大きく発展をとげた。政治的には１９７５年（昭和50年）4月蒋介石総統が死亡し、二男の蒋経国が総統となり、戒厳令を続けたまま独裁体制を維持した後、アメリカからの強い圧力もあり、徐々に民主化の方向に転じていった。１９８８年に蒋経国が死亡し、１９９６年（平成8年）に総統民選が行われ、はじめて本省人の李登輝が総統に就任した。その後民主化は加速され、野党の民進党が国会において躍進した。

国際的には一時は「台湾海峡中立化」により中国の脅威が高まったが、その後の朝鮮戦争を奇貨としてアメリカの庇護の下、日本、韓国、フィリピンと共に共産圏封じ込め政策の一端を担っていたが、ベトナム戦争の行き詰まりから米中が国交を樹立したため、台湾は国連から追放され、日本も断交となっている。しかしアメリカはあくまで自由陣営を保持していくという観点から「台湾関係法」を制定して台湾防衛を外交の柱としている。

２０００年（平成12年）に李登輝が引退した後、民進党の陳水扁が総統となり、台湾の独立路線を進めたため国民党とは衝突を重ね、政局は混迷した。その後陳水扁は再選するが、汚職で失職、再び国民党の馬英九が総統となり中国寄りの政策を推進した。確かに現在台湾は中国との経済関係を強化しつつあり、今や中国抜きでは台湾経済が成り立たなくなってきている。基幹産業であった電子産業も中国への工場進出により空洞化が進み、大変難しい局面にある。２０１６年（平成28年）には民進党の蔡英文が総統となったが中国からの締め付けが厳しく、次期総統選挙の帰趨は流動的である。

## ■おわりに

最後に他国の領土の併合、植民地化は内容のニュアンスに若干の相違はあるとしても他国の領土を奪うことに変わりはない。18世紀から20世紀にかけて欧米列強はアジア、アフリカにおいて多くの領土を植民地化した。我が日本は遅れて来た帝国主義者として朝鮮を併合、台湾を植民地とした。前号ではどうしても朝鮮を併合せざるを得なかった、いわば対ロシアからの自衛のために朝鮮を併合した事実を明らかにした。今回は台湾が植民地化となった経過を詳しく述べたつもりである。

韓国と日本との間には現在問題が山積している。いわく「竹島問題」「慰安婦問題」「徴用工問題」「自衛隊に対するレーダー照射」「旭日旗忌避」「下院議長の天皇に対する謝罪要求」など、我が国民を逆撫でることばかりが続いている。呉善花氏は「虚言と虚飾の国」と表現しているが、自己中心的な民族主義に問題があるのであろう。それに現在の文在寅大統領は共産主義者であって中国の手先であるから少しでも日本の国力を弱めようとしているのである。

さて、日本が植民地として支配したのは台湾が50年、朝鮮が30年である。私は公私に亘り両国を訪問すること合わせて30回以上になるが、どうして両国の対日感情にこれほど差があるのであろうか？植民地の支配であるから50年、30年の間に武力による制圧により多くの人命を損なったことは否定できないが、その他植民地政策においてそれほど大きな差がなかったことは前号と今回を読んで頂ければ納得できるのではないか。前回と今回、この朝鮮、台湾の植民地支配の歴史を書いてみて、私は日本からの解放後の成り行きにその問題があることに思い当たったのである。

韓国は独立後、その能力にはいささか首をかしげざるを得ない人物ではあるが、李承晩大統領のもとにスタートした。その後朝鮮戦争が起こり、国土は荒廃したが、米国と日本の協力のもとに新しい国家をまがりなりにも創ってきた。勿論軍のクーデターによる独裁の時代も何代かはあったが一応議会の機能する民主国家である。経済的には財閥が資本の中心を占め、いびつな情況はあるが、一応先進国へと近づいていることは間違いあるまい。

一方台湾はどうであったろうか。日本から解放された後、台湾を支配した中国国民党は、中国共産党との戦いに敗れた末、台湾に逃げ込んだいわば敗残兵の集団である。彼等が台湾で何をしたかというと、旧日本国から引き継いだ資産を食いつぶし個人の自己の懐を肥やすというあくどい事実を重ねたのであった。

50年に亘る日本支配においては平等さを欠くという不満はあったにしても、「法治国家」としての日本に慣れきっていた台湾人とすれば蒋介石一派の外省人のやり方には不満が鬱積していた。一方蒋介石一派としてはたとえアメリカの庇護があったにせよ何時大陸からの侵略が開始されるかわからない状況の中で、台湾人について戦々恐々であったろう。

この事件は蒋介石が台湾に移る前年であるが、すでに国共内戦の帰趨はついていた1947年（昭和22年）2月28日に起った「2・28事件」は、台湾人の心の中に深い傷を残した。国民党軍兵士の強奪や狼藉、官吏腐敗と貪欲は目に余るもので、国民党軍の占領間もない頃から台湾人は「同胞」という新たな支配者に失望し始め、かつ不満を持つようになった。元来漢族系の台湾人は渡来してくる中国人を「唐山人」と呼んでおり、中国で意味する「唐山」には何ら悪意はなく、むしろ親しみをこめたものであった。ところがやがて「唐山」は「阿山」となり、田舎者を嘲る軽蔑をこめた呼称に変わってしまった。

もう一つそれだけではなくて「犬（日本人）去り豚（中国人）来る」と台湾人は中国人を罵った。これは、日本人はうるさく吠えても番犬として役立つが、中国人は貪欲で汚いということである。先にも述べたように「2・28事件」に関連して1か月間に殺害された台湾人は約28、000人といわれており、まさに根こそぎの粛清である。この事件については何となく私は現地の人に聞いてみたことがあるが、口を閉ざす人がほとんどである。最も半世紀以上も前のことで実際にそれについて語れる人は少ないであろうが、この中国外省人の残虐さが台湾人の心の奥深く大きな傷として残っているのではないかと思う。その裏返しが日本統治への中国人との比較における肯定、親日ではなかろうか。

台湾をかつて旅行して一つ感動したことがあるので紹介すると、台湾から高雄に至る新幹線は我が国が持てる技術の全てを傾けて建設したものである。そして、すべての駅には「この鉄道はすべて日本により建設された」という意味の大きなプレートがわざわざ設けられている。これこそ台湾人の親日を表すシンボルだと思っている。

第13話

理解しづらい政党

# 公明党とは何か

2019年7月23日

我々一般国民にとって、公明党ほど理解しづらい政党はないのではないか。公明党の母体は、宗教団体である創価学会であることは皆よく知っているが、これほどその本当の姿がわかりにくい政党はないのではないかと思う。ところがこの公明党は、国政選挙においては、常に700万票以上を獲得する強固な政治勢力なのである。

1997年から自民党との連立を果たし、今や公明党の協力がなければ自民党は衆議院においてはもとより参議院においても安定した議員数を保持し得なくなっている。これは、衆議院選挙では小選挙区制で、原則1選挙区1名の選出であるから一定の票数はあるが、当選にまでは及ばない公明党の協力を自民党は是が非でも仰がなければならないところに、今や公明党の強み、自民党にとっての弱みがあるのである。そこで、今回はこの巨大な宗教政党について若干述べるとともに、この政党の存在が我々にとってどのような問題を持っているのかについて考えてみた。

# 第一章　戦後の宗教団体の歴史

## ◆第1節　新興宗教の乱立

第二次世界大戦後、我が国においては、まるで「雨後の筍」のように数々の宗教団体が次から次へと誕生した。そして、これらの新興宗教の多くがさまざまな社会問題を起こしたのであった。例えば病気や災難に遭うなどとおどかして無理やり入信させたり、あからさまに強引に寄付を要求するなど数々のトラブルが発生し、中には教祖と称する人物が逮捕されるという不祥事を起こしたりした。

何故このように多くの新興宗教が乱立したのか。きっかけは、戦後日本の民主化を進めた連合国最高司令部（ＧＨＱ）の政策に起因する。実は戦争中は「宗教団体法」という強固な法律が施行されており、これによって宗教団体はかならず文部大臣の許可が必要であった。戦時下における国家総動員体制のもと、宗教団体は政府により強く統制されていた。政府は、宗教団体の統合を進めたため戦時中の１９４２年には、宗教団体は神道、仏教、キリスト教を合わせて43団体に留められていた。当然この時代には宗教団体として認められた組織に対してもして国民の戦意の高揚など、戦争への貢献が強く求められた。しかし、敗戦後ＧＨＱによる占領統治が始まると、状況は一変する。ＧＨＱは従来の「宗教団体法」を「治安維持法」と並ぶ軍国主義日本の悪法とみなし、「宗教団体法」の廃止を日本政府に求め、それに代わって１９４５年暮に「宗教法人令」が施行された。これは宗教に対する政府の関与（かつての大本教弾圧など）を無くすることを目的としており、宗教法人の設立は、許可制から届け出制に変わり、信教の自由や政教分離が徹底されることになった。即ち誰でも自由に宗教団体を作ることができるようになったのである。さらに、ここが重要なのであるが、同政令第16条において「宗教法人には所得税、法人税を免除する。神社、寺院の境内地ならびに教会の土地については地租を免除する。」「都道府県、市町村その他の公共団体は宗教法人の所得に地方税を課することを禁じる。」とあり、つまり宗教法人には所得税や法人税などが一切課されないということで、このことは大変歪な状況を作り出したのであった。

このため先に述べたように得体の知れない人物が、突然教祖を名乗り、強引に寄付を要求したり、免税措置を利用するためだけに宗教法人をつくり、宗教とは関係ない経済活動を行う例が続出したのであった。このため宗教法人の数は、一時は７００以上になった時もあった。

## ◆第2節　規制の強化で巨大宗教団体が形成される

このように戦後の宗教法人令は、大きな欠陥を有していたため、日本が独立した１９５１年に所轄の文部省も、あわてて規律のゆるい「宗教法人令」を改め、規制を厳しくした「宗教法人法」が施行された結果、怪しい団体の多くは消滅した。この新しい「宗教法人法」が施行され、にわかづくりの怪しげな団体が淘汰される一方で、組織的にしっかりとした団体が全国的な規模で信者を増やし、巨大な組織を形成するようになった。それが仏教系の立正佼成会、霊友会、そして創価学会などであった。これらは現世救済を掲げて活発な布教活動を展開し、信徒を増やしていった。中でも立正佼成会は、布教活動に人権の侵害があったなどとして、国会でも取り上げられ大問題となった。立正佼成会に次いでマスコミによく取り上げられたのが創価学会であった。創価学会は日蓮正宗の信者の団体で、戦前の１９３０年に牧口常三郎によって結成されたが、第二次大戦中は、当局から弾圧を受け、牧口等の幹部は治安維持法、不敬罪で逮捕され、牧口は獄死している。

彼等は、日蓮上人の説いた法華経を唯一無二のものとして「南無妙法蓮華経」と唱えれば救われると主張したのであった。戦後の１９５１年に戸田城聖が二代目の会長となり、再出発したが、当時の会員は約３０００人程度でそれ程目立った存在ではなかった。しかし、戸田は積極的で「世帯数75万を達成する」と宣言して積極的な勧誘活動、いわゆる折伏大行進を展開し、創価学会の世帯数を急増させていった。１９５４年には16万４０００世帯になり、初めて参議院に候補者を出した56年には40万、58年には１００万を超え、三代目の池田大作会長が就任した60年には１７４万世帯、さらに64年の公明党結党の年には、実に５２４万世帯にまで膨張したのであった。

## ◆第３節　低所得都市住民への布教で大きくなった創価学会

短期間でこれほどのスピードで大きくなったかについては、如何にその布教活動、折伏が激しかったかが思い起こされるのである。当然他の宗教だけではなく、社会的にもさまざまな軋轢、摩擦が生じたであろうことは容易に想像できる。創価学会が、ターゲットにしたのは高度経済成長期を迎えた我が国においては、農村部から多くの人達が労働者として都市部に移動した。その多くは低学歴で大企業に就職できる者は少なく、労働組合に入ることのできない未組織労働者か、あるいは零細な企業経営者として孤立し、劣悪な環境の中で働いていた。一方農村においては人間関係が強く、地域共同体の中でそれなりに生活を続けていた者が、一人切り離されて都市社会に投げ込まれ、孤独な生活を強いられていた。創価学会が折伏の狙いとしたのは、このような不安定な生活と将来に対する不安を抱えた都市部の孤独な低所得者層であった。池田大作らの幹部は、新興都市住民の満たされない心の空洞部分に巧みに食い込むことによって、彼等の支持を獲得していった。

# 第二章　創価学会の政界進出

## ◆第1節　公明党の結成

創価学会は順調に信者を増やし、国内最大の宗教団体になることで社会における存在感が高まっていった。そこで次のステップとして彼等がとった行動は、政界への進出であった。創価学会はすでに1961年11月に宗教活動と政治活動を明確に区別するために「公明政治連盟」という組織をつくっており、結成時に参議院議員9名、地方議会議員275名をかかえ、基本政策として核兵器反対や、民主的平和憲法を守ること、政界の浄化などを掲げており、形の上では立派な政党であった。そして１９６４年その組織を発展させ「公明党」という政党を独自につくり、宗教とは対極にある政治の世界に踏み込んでいった。

１９６４年11月17日、東京両国の日大講堂で結党大会が開かれ、１５、０００名の会員が結集した。しかし重要なことは、公明党の結党は、形式的に宗教団体である創価学会からその政治部門が、公明党という別組織の政治団体として誕生しただけであって、実態は創価学会の一部であることに全く変わりはなかった。実際発足した公明党の幹部はすべて創価学会の幹部であった。それだけではなく、結党宣言では日蓮上人の言葉を引用しつつ「公明党は王仏冥合、仏法民主主義を基本理念とし日本の政界を根本的に浄化して、議会制民主主義の基礎を確立し深く大衆に根を下ろし大衆福祉の実現をはかる」と規定している。「王仏冥合」とは「王」を意味する政治の世界、あるいは社会一般に対して「仏」即ち仏法の持つ宗教的価値を反映させるというのである。また「仏法民主主義」とは仏の教えを意味しており、仏の教えに則って民主主義を実現するという意味であり、これらは政教分離からいって大変問題があるように思う。

## ◆第２節　政界進出の目的は「国立戒壇」の実現

そこで創価学会の政界進出の目的が何であったかについて考えてみたい。それには先ず公明党結党までに至る創価学会の政界進出過程を振り返ってみる必要がある。

学会が初めて選挙に候補者を出したのは１９５５年の統一地方選挙であった。大半が東京都とその周辺の自治体の議会で54名の候補を立て、53名が当選している。翌１９５６年の参議院選には6名が立候補して5名が当選した。当時の学会は戸田会長の下、日蓮正宗を広く国民に流布させる「広宣流布」の実現と「国立戒壇」の建立を国会決議することを重要な目的としていた。国立戒壇などとは時代錯誤もはなはだしく、政教分離に違反すると思うが、これを実現することが創価学会の政界進出の目的であったのは明白である。さすがに「国立戒壇」の実現は、日蓮正宗の国教化を意味すると当然受け止められ多くの批判と警戒心を招いた。1969年には藤原弘達明治大学教授の著書「創価学会を斬る」に対して創価学会が言論出版妨害をおこしたと、共産党が先頭を切ったキャンペーンにより、創価学会は相当なダメージを被ったのであるが、その窮状を救ったのは皮肉なことに公明党が結党以来批判し続けていた自民党だったのである。

本件に関しては、当時の自民党の田中角栄幹事長が、藤原氏に出版を思いとどまるよう説得し、出版予定部数をすべて公明党が買い取るとの提案があったことなども明らかになり、共産党の厳しい追及もあり、数カ月にわたって予算委員会や法務委員会で取り上げられ、池田会長らの証人喚問が求められた。しかし、当時の佐藤首相は公明党をかばい続け、証人喚問などについては自民党が数の力にものを言わせ全てはねつけてしまった。そして1970年の創価学会総会で池田会長は、言論出版妨害事件について釈明すると共に創価学会の掲げる「国立戒壇」について、これが国教化を意味するものではなく、以後この言葉は一切使わないと宣言し、さらに公明党との関係について「政教分離」を徹底させていくことをあらためて方針として示したのであった。

### ◆第3節　中道主義の国民政党へ政策変更

1970年6月25日に公明党は党大会を開き「我々は人間性尊重の中道主義を貫く国民政党として、革新の意欲と実践をもって大衆と共に前進する」と宣言して、「広宣流布」や「王仏冥合」「仏法民主主義」などの宗教用語は一切消えたのであった。

その後公明党は日中の国交回復に一定の役割をはたした。1971年10月、国連において中華民国が追放され、中華人民共和国がその座を占めるに至ったが、最後まで反対したのはアメリカと日本を含む少数の国々であった。それより以前の1970年6月公明党は先に述べた「新生公明党の門出」と位置付けた党大会で、訪中団派遣などの具体的な対中政策を決定した。公明党は言論出版妨害事件で大きな悪いイメージを世間一般に与えていたため、それを払拭する一環として党のイメージ向上のため、日中問題に積極的にかかわっていくことを打ち出したのであった。

1971年6月当時の竹入義勝委員長が訪中し周恩来首相と会談し、日中の当面の問題について意見交換し、後の田中首相の訪中の露払いとして重要な役割を担ったのであった。

# 第三章　公明党の基本政策

### ◆第1節　鵺政党と揶揄された政策のブレ

さて、公明党ほど基本政策にブレのある政党はないのではないか。言論出版妨害事件でその保守的な体質が野党各党から袋叩きにあった反動から、1967年に衆議院に進出した時から公明党は急速に「革新色」を強めた。党大会での日米安保条約に対する表現も、「段階的に解消」「解消に早期に実現するよう努める」「即時廃棄」など社会党や共産党の政策に近くなっていった。自衛隊についても1973年には「違憲の疑いあり」とすっかり「革新色」を打ち出すようになる。しかし、この左翼路線も長続きしなかった。1975年の党大会では「日米安保は一方的な廃棄ではなく交渉による合意であるべき」と「即時廃棄と放棄」そして1981年には「現状においては存続もやむを得ない」と容認に転じ、現在に至っている。

さらに1990年以降は形を変えつつ連立政権に参加した公明党は、日米安保や自衛隊の容認に止まらず日米同盟のさらなる強化、PKO協力法、テロ特措法、イラク特措法などを推進し、自衛隊の海外派遣を実現させるなど、外交安全保障政策では完全に自民党に歩調を合わせている。集団的自衛権についても前年までは「違憲」と完全に否定していたが、自民党との協議で容認に転じた。これらについて考えると、よくいえばあくまで理念より現実的な対応をとる公明党らしい政策転換といってよい。またそこには政治的理念は一切ないといってよい。あるのはあくまで政権与党に留まり甘い汁を吸うという一事のみといってはいい過ぎであろうか。

私だけでなく公明党を評する人は、公明党のことを〝鵺(ぬえ)政党〟といっている。鵺は源三位頼政が退治した伝説上の怪獣で、頭は猿、胴体は狸、尾は蛇、手足は虎、声はトラツグミというもので、正体不明の人物やあいまいな態度をいうのである。まさに公明党はそれにぴったりではないか。公明党が一度は反対を唱えておきながら途中から対応を変化させたものは、前記にあげた他、枚挙にいとまが無い。教育基本法の改正についても愛国心の取り扱いについて「国を愛せというのは、すなわち統治機構を愛せよということではないか。これは国家主義の復活である」と難癖をつけ反対したが、最後には妥協している。防衛庁を防衛省に格上げした際にも「憲法に反する」などと反対していたが、最後には賛成している。

もう一言触れておきたいのは、公明党は、結党後公明党のことを「平和の党」ということを旗印にしていることである。今時未だに暴力革命を指向する共産党を除き、平和を考えていない政党はないと思うが如何であろうか。それにもかかわらず公明党は、自分達だけが「平和の党」であることを再三唱えているのには、いささか抵抗を感じるのである。そして平和の党の基になっているのは憲法９条の擁護にあるといっている。

## ◆第2節　いい加減な「創共協定」

話は前後するが、今となってはそんなことがあったのかとほとんどの人が忘れていると思うが、革新色を強めていた１９７５年、突然公明党の支持母体である創価学会と共産党が、お互いを認め合った上で共存することを謳った協定に合意したのであった。いわゆる「創共協定」と呼ばれるもので、作家の松本清張の仲介によるものといわれている。そもそも公明党と共産党は政治的にもまた政策的にも相容れなかった。公明党結党以来、お互いに相手を激しく批判し対立していた。公明党は共産党のマルクス主義を否定し、また憲法問題では日本国憲法の平和主義、基本的人権擁護、民主主義という三原則を破棄しようとしていると攻撃していた。一方共産党は、公明党は「反自民」「反大資本」を掲げていながら実際には自民党と一緒になり、反共キャンペーンを繰り広げているとして、公明党の革新姿勢は偽物だとこきおろしていた。また例の言論出版妨害事件の追及を先頭に立って行っていたのは共産党であった。元々両党がターゲットにしていたのは、都市部の中小企業経営者や農村出身の労働者など、比較的下層階級の人達で、選挙のたびに票を取り合っていた。その公明党の支持母体である創価学会と共産党が協定を結んだのであるから、各方面から驚きの声が上がったのであった。しかし創価学会は公明党に対して何等根まわしを行っていなかったため、突然のこのニュースに公明党は衝撃を受けた。直ちに公明党は中央執行委員会を開いて「共産党とは政権共闘しない」ことを確認、一方創価学会も共闘を否定したため、この問題は短期間で雲散霧消してしまった。この例をとっても公明党、創価学会が如何にいい加減であるかがわかるのではないだろうか。

## ◆第3節　一般国民に迎合する人気取り政策

公明党が一般国民に対する人気取り政策をとり、如何に迎合しているか。

その最たる例は、10月より実施される消費税に関しての軽減税率の問題である。私はたかだか今回の2％アップに対しわざわざ軽減税率をとる必要はないと思っていたが、公明党のゴリ押しにより導入されることが決定している。しかし軽減税率による減収見込みは1兆890億円と算定されており、それを補う税収は100％確保されておらず、何のための消費税値上げかわからないのが実状である。

また、これは軽減税率とは関係ないが、政府は現状の世界景気の不透明さと、国内における消費税アップにより国内景気に大きな影響を与えないように、消費税率の引き上げ幅を上回るポイント還元などを決定しているが、全くやりすぎではなかろうか？明らかに税収が足りないから増税するという出発点と大きく矛盾しているのは明らかである。

公明党の政策で、今後与党の中にあって一番問題となるのは矢張り憲法改正に対する取り組みである。安倍首相は2020年を目標に「9条に自衛隊を明記する」「教育無償化」「災害時における国会議員の任期を延長する緊急事態条項」「参院選挙区の合区」などの改正を目指している。これに対して公明党の態度は今のところ煮え切らない。公明党の姿勢は必ずしも憲法改正しないという立場ではないが、基本は「加憲」であり山口代表は改憲について、2018年「政権が取り組む課題ではない」と発言し、最近も慎重な姿勢を示している。しかし公明党としても与党の一員として、激動する世界情勢の中で改憲問題をうやむやにすべきでないことは理解しているのではないか。確かに改憲は国会において発議され、その後国民投票により決定されるものであるからといって、この重要課題については与党だけでなく、野党も含めて十分な協議が必要であろう。しかし、このところ衆・参両議院共に憲法審査会はほとんど活動していない有様である。ここは与党内で十分な協議を行っていくべきところであるが、公明党は創価学会の意向（婦人部）に影響され、9条問題には消極的であるのは残念である。しかしこの党の本質はあくまで与党に留まるということなので、今後どのような態度に出て来るか、はなはだ興味のあるところである。

第14話

## 重大な軍事作戦の陰の参謀
# 辻政信とは何者か

2019年12月10日

最近の若い人達には辻政信といっても、ピンとくる人はほとんどいないと思う。何故今回彼を取り上げたかというと、気づいている人も多いと思うが、彼の古い著書であるかつてのベストセラー「潜行三千里」が再刊され、連日のように五大紙に広告を連ねるようになり、あらためてベストセラーになっているからである。これは帝国陸軍参謀の彼の事蹟があらためてクローズアップされてきたからである。

今から何年ぐらい前であったろうか。私が中学生ぐらいの頃と記憶しているが、戦時中、大日本帝国陸軍参謀として辻政信は、ノモンハン事件、太平洋戦争では開戦、とっぱなのマレー作戦、勝敗の転機となったガダルカナル島の攻防戦、さらにオーストラリアとアメリカとの遮断を目指したポートモレスビー作戦などを主導し、その軍事作戦指導において、軍事作戦の神様とまで讃えられながら、日本の敗戦と共に戦争犯罪人としての追及を逃れるため地下に潜伏して、戦犯の容疑が時効となった1950年（昭和25年）、突如として再び世に姿を現し逃走中の記録を「潜行三千里」として出版し、これが一躍話題となった。その他幾つかの戦記物（ノモンハンやガダルカナル）を著してあらためて世間の注視するところとなった。

勿論軍人であるから反共の立場に立った著書が大部分であるが、一歩進んでアメリカ駐留軍の撤退論などを唱えて、アメリカのCIAからは目を付けられていた。私は中学生であったが、彼の「潜行三千里」に熱狂したことを覚えている。早速新版を購入して読んでみた。此度何故この本が再刊されたかについては、その序文を見るとその理由が書いてある。すなわち辻の指導したノモンハン事件は文字通り日本軍の完敗であり、辻の存在自体に疑問符が付けられていたのであるが、ソ連崩壊後、それまで公開されてこなかったソ連側の同事件に関する文書が公開されてきて、その中で実際にはソ連軍も甚大な被害をこうむり、実際の勝敗は我が国が考えていた以上にソ連に大きな爪痕を残していたことがわかってきたからである。ノモンハン事件のソ連側指導者は、赤いナポレオンとおそれられた不敗神話を持つジューコフ中将（後の元帥）であったが、後に彼がフルシチョフとの勢力争いに敗れた遠因は、ノモンハンにおける戦争指導にあったともいわれている。

しかしこの事実が本当に正確なものであったかはわからないし、日本軍のノモンハンにおける死傷者は半端なものではなくて、日本軍（関東軍）の目論んだ国境線の確定は失敗に終わったのであるから、この事件の後遺症は極めて大きなものがあった。付言しておくと、明治以来日本の国策は、対ソ連政策（北進策）がメインテーマであったが、この事件以降、余りにもソ連軍の精強さが認識され、その後むしろ南進策へと転換を余儀なくされ、太平洋戦争への深みにはまっていったのではないかと思う。すなわち関東軍の服部卓四郎（以下服部）中佐、辻政信（以下辻）は、北進論の最右翼であったが、ソ連軍の実力を思い知り、以後「日本の生命線は南方にあり」という方向に転じていったのであった。

# 第一章　波乱万丈の生涯⑴（生い立ち～大戦勃発）

## ◆第1節　エリート軍人としての輝かしいスタート

さて、支那事変から太平洋戦争の末期までほとんどの作戦に関わった辻政信とは如何なる人物か。辻は１９０２年（明治35年）に石川県山中温泉近くの戸数１００軒ほどの山里に生まれた。小学校から尋常小学校高等科を経て、家計の関係から学費のいらない名古屋の陸軍幼年学校に入校し、首席で卒業した後、東京の中央幼年学校を経て陸軍士官学校に入校、１９２４年（大正13年）ここでも首席で卒業（第36期）、少尉に任官した。そして１９２７年（昭和２年）中尉に進級して翌年陸軍大学校（第43期）に入り、１９３１年（昭和６年）に卒業する。ここでの成績は３番であった。１９３２年（昭和７年）１月第一次上海事変が起こると、第７連隊に所属して出征し負傷するが、事変終結後帰還する。そしてその頃から実戦の様子をたくみに演説してマスコミにも取り上げられるようになった。翌年参謀本部付となり、東條英機大佐のもとで正式に参謀本部員となる。その後東條のひきで陸軍士官学校の生徒隊中隊長（教官）に任命される。これは１９３２年に海軍の青年将校達が起こした5・15事件の影響を受けて、当時の陸軍部内にも、政財界の要人を暗殺して国家主義政府を樹立しようという思想が広がりを見せ、陸士の生徒にもそれに染まるものが出てきた。東條はこうした事態を恐れ、陸士本科の生徒間からこのような危険思想を一掃するためにはどうしたらよいかを考え、かつての部下で頭が切れ、かつ実行力があり、大胆不敵な行動を取る辻を指導者教官としてはと思いつき、実行したのであった。

　陸士本科の生徒達にとって、辻の陸大での猛勉強ぶりと最優秀の成績、また上海事変における勇猛果敢な奮戦ぶりは伝わっており、辻の崇拝者は多かったのである。東條は辻を使って陸士本科内の大掃除を目論んだのであった。

　陸軍の内部には、従来から統制派と皇道派という二つの流れがあり、詳細は省くがこの二つの派閥が激しく争っていた。統制派には永田鉄山少将を首領として、東條、武藤章、片倉衷（ただし）、服部、辻等がいた。一方皇道派は眞崎甚三郎大将を頂点とし、後に２・26事件を引き起こす。

　辻は皇道派を牽制するため、後に2・26事件をおこすメンバーをスパイ的な行為で摘発するが、自らも咎めを受け水戸の歩兵連隊への転属を余儀なくされた。2・26事件後の1936年（昭和11年）辻は上述の片倉少佐の斡旋により関東軍参謀部付となる。

## ◆第2節　関東軍転任で石原莞爾に傾倒

　新京（現在の長春）に着任した辻は、上司から満州事変を研究するように指示され、その全貌をつかむ。満州事変とは板垣征四郎大佐と作戦主任参謀の石原莞爾中佐によりひきおこされた。すなわち柳条湖付近の満州の線路を爆破し、それを中国軍の仕業と偽り、さらに北大営にあった中国軍主力を攻撃したことから始まった。これは武力で満州を制覇しようとした板垣、石原が当時の関東軍司令官本庄繁中将にも無断で起こしたでっち上げの事件であった。それだけではなく天皇の統帥権を無視して軍隊を動かし、武力を行使した参謀にはその権限がないのに板垣や石原には何の咎めもなく、むしろ、参謀本部や陸軍省に喜ばれ立身出世するという奇怪きわまりない一件であった。

　石原莞爾については、右翼的国家社会主義団体、東亜連盟の指導者で、日本、満州、中国、蒙古、朝鮮が一体となって「五族協和」をはかり、満州に「王道楽土」を築いていくことを目指していた。

　彼は当時参謀本部において戦争指導課長を務めていた石原と面会し、満州蒙古に関する石原の理念を聞き、そのスケールの大きさに圧倒され、以後生涯にわたり石原の信奉者となる。

元に戻るが辻が満州事変から学んだ一番のものは、参謀も統帥権などは無視してやりたいことをやるべきであるという「下剋上」の思想であった。その後重要な場面で辻はこの下剋上を実施していく。

1937年（昭和12年）7月7日に発生した盧溝橋事件をきっかけとして中華民国軍と支那駐在日本軍との間に戦闘が発生すると、辻は関東軍参謀長の東條や高級参謀片倉に同調して戦線拡大を主張した。有名な話であるが、辻は独断で爆撃機による盧溝橋付近の支那軍を攻撃すると、支那駐屯軍の作戦主任参謀に申し入れ、一喝を食らい引き下がるが、これなども辻の独断専行、巧名に走る男であることを如実にあらわしている。

7月末、辻は片倉に斡旋してもらい、支那駐屯軍の作戦参謀となり、次いで板垣中将のもとで第5師団参謀となり、以後2か月近く北支の戦場を駆けめぐる。その後11月関東軍の参謀に転じるが、「満ソ国境紛争処理案」に関与する。

## ◆第3節　ノモンハン事件の敗北は情勢判断の読み違え

1939年（昭和14年）5月11日、外蒙古と満州国が共に領有を主張していたハルハ河の東岸において、外蒙古軍と満州国警備隊との間で小規模な衝突が発生する。外蒙と満州国との国境線については従来から食い違いがあり、満州国はハルハ河を国境線と主張し、外蒙側はハルハ河の東方約18キロメートルのノモンハン付近を通る北西、南東の線を国境としていた。外蒙軍が現れた場所は従来から自国領と主張していたところで、満州軍が武力を行使するには無理な区域といえる。

もともと越境といってもモンゴル軍の兵士が馬に水を飲ませたことが発端で、両者とも自制すれば大きな争いにはならなかったはずである。ところが、両者共相手の越境行為をなじり、双方とも部隊を出動させ緊張が高まった。日本の中央では事態を拡大させないように努めたが、関東軍の参謀はそうは考えなかった。特に辻を中心とする関東軍の作戦参謀達は好機到来として現地軍に対し、独断で越境攻撃を命じたのであった。

実は3年前の1936年（昭和11年）3月ソ連は蒙古との間で「相互援助条約」を結び、ソ連は外蒙領域を自国と同様に考え、必要な場合は常に武力をもって防衛すると宣言していた。この主旨にのっとり今回も対日満戦に乗り出して来たのであるが、それは中途半端なものではなかった。いわば対日全面戦争をも辞さずという考えであった。

一方日本軍はソ連の意図を読み違い、すこし有力な部隊を送り込めばソ蒙軍はハルハ河の左岸に引っ込み、二度と出て来ないぐらいに考えていた節がある。当初投入された第23師団は編成されたばかりで訓練も十分に行き届かない部隊であった。またトラックなどの機動力を全くといってよいほど持ち合わせていなかったため、兵士の疲労は大きかった。さらに補給も十分に続かなかった。しかし何よりハンディとなったのは、ソ連側は強力な戦車をはじめとする重火器を取りそろえ、いわゆる機械化が進んでいたのに対し日本軍はその面でも全く貧弱をきわめ、一部の奮戦もあったが機械化兵力に歯が立たず第23師団は壊滅してしまった。それにもかかわらず辻参謀らは戦いをさらに拡大しようとした。

さすがに中央も戦いを収めるために動き出した。1939年（昭和14年）9月15日モスクワで東郷茂徳駐ソ日本大使とモロトフ外相との間で合意がなされ、9月16日共同発表が行われ「日満軍およびソ蒙軍は9月16日午前2時を期して一切の軍事行動を停止する」内容であった。ノモンハン事件は当初から外交にゆだねるべき問題で、特に辻、服部は武力行使を強硬に主張し、結局膨大な死傷者を出して惨憺たる敗北に終わった。その結果二人は左遷されるがこれは一時的なもので、再び檜舞台にカムバックする。

そして太平洋戦争の山場において作戦指導をこの二人が行うのであるが、まさに「敵を知り己を知れば百戦危うからず」の孫子の兵法と、反対のことをやってきたのであるから敗北は必至であった。ノモンハンにおける服部や辻についてももう一つ付言すると、国境線の歴史的、法的根拠、ノモンハン一帯の戦略的、経済的価値や、ソ連軍の実力も知らずにただただ「ソ連軍と戦って勝ち、威を示したい」ということで兵を進めさせ、多数の将兵を殺傷し大敗して国威を失墜させてしまったのである。

ノモンハン事件の頃は北進論（対ソ連）者であった辻は、その後南進論者に豹変し、東條が首相となるとその彼に接近を図っていく。

# 第二章　波乱万丈の生涯(2)（大戦時代）

## ◆第1節　機略縦横でシンガポール攻略するも抗日分子を大量処刑

辻は1941年（昭和16年）12月の太平洋戦争開戦後は、マレー作戦において第5師団の先頭に立ち直接作戦指導を行った。海軍が開戦の劈頭真珠湾に奇襲攻撃をかけて日米海軍の勝敗を決定づけることを最重要作戦としていたが、一方陸軍はシンガポールの攻略をそれとしていた。何故ならシンガポールを占領すれば、英国は香港と並ぶ極東における拠点を失い、日本陸軍は東南アジアを制圧してオランダ領東インド（現在のインドネシア）英領ボルネオ、マレーなどから石油をはじめとする戦略的物資を獲得することができるようになるからであった。辻はシンガポールを攻略する第25軍の作戦主任参謀に抜擢される。

太平洋戦争劈頭のマレー作戦においては、山下奉文中将率いる第25軍傘下の第5師団の先頭に立って、辻は直接作戦指導を行うが、時には作戦参謀としての任務を逸脱して第一線で命令系統を無視し、敵戦車の奪取や敵軍陣地へ自ら突入したりした。

山下将軍は、辻について「この男は矢張り我意が強く小才にたけ、所謂汚き男にして国家の大をなすに足らざる小人なり、使用上注意すべき男也」と厳しく批判している。辻は自負心、功名心が強く、好戦的で外剛内剛という性格のため上下左右ともにトラブルが多く、いわば一匹狼といってよかった。

辻は、英国軍の意表をついてシンゴラ、コタバルへの上陸作戦を成功させ、英国がたよる機械化部隊を破り、陸海軍の共同作戦も極めて円滑に進んだため12月7日、開戦前後から始まって作戦は極めて順調に推移して、1月29日にはシンガポールの対岸ジョホールバルに迫った。2月8日ジョホール水道の渡航作戦に移り、シンガポールの水源地であるブキテマ高地の占領に成功した。

以後翌年2月15日まで両軍の死闘が続くが、15日英軍は降服してシンガポールは陥落した。

本作戦においてはたした辻参謀の功績については、その情報収集、分析、作戦・用兵計画立案、作戦指導力は極めて目立つものがあった。しかし、シンガポール占領後日本軍は、華僑20万人の一斉検問を行い、この中から抗日分子と判断された者を大量処刑したのであった。この敵性華僑粛正事件は、作戦参謀の辻と朝影繁春が起草し、山下司令官が命令したものであった。そしてこの行為は日本軍の一方的な判断で敵性華人を選り分け処刑するもので、戦後の戦犯裁判では山下はフィリピンで処刑され、辻は逃亡、朝影はソ連に抑留として裁判にはかからず、むしろ処刑に反対した河村参郎警備司令官他が責任をとらされ処刑されたのであった。

## ◆第2節　フィリピン戦線では偽命令で投降兵を処刑

マレー作戦終了後の1942年（昭和17年）3月に辻は参謀本部に呼び戻され、切望していた作戦班長となった。フィリピン戦線を担当していた本間雅晴中将率いる第14軍は、バターン半島の要塞にたてこもる米比軍の追撃を行っていたが、苦戦を余儀なくされていた。辻はこれにテコ入れするため班長補佐の瀬島龍三とともにマニラを訪れ、以後第14軍の総攻撃を指導することになる。

4月3日に第一次攻撃が開始され、同9日には米比軍は降服し、コレヒドール島のみが孤立して残ったのであったが、投降者が次々と出た。この間本間中将は何ら関与していなかったのであるが、投降してきた米比軍を処刑せよとの偽命令が（これは辻が行ったとされている）一人歩きして一部それを実行したため、戦後日本軍によって、バターン半島から移動中の多くの米軍人が疲労と重病により次々と倒れたいわゆるバターン死の行進と、虐殺事件が戦犯事件として裁かれ、戦後逃亡した辻は生きのび、何等責任のなかった本間中将がその責任をとり処刑されたのであった。

## ◆第3節　ポートモレスビー攻略作戦は独断専行で大失敗

海軍からの要請を受けて新たに第17軍が編成された。この軍団の目的はニューギニア島のポートモレスビー攻略である。この島は、米豪軍の本拠地である豪州のすぐ側にある恐竜のような形をした巨大な島である。そして東部ニューギニアの南岸に位置するポートモレスビーは、米豪軍の極めて重要な前線基地となっていた。この東部ニューギニアの東側には海峡をへだてて東西に細長いニューブリテン島があり、その東側に日本軍の最重要前線基地であるラバウルがあった。

ポートモレスビーとラバウルの間は約900キロメートルで両軍の航空攻撃が可能な地域で、仮に日本軍がポートモレスビーを攻略すればラバウルが安泰となり、かつ豪州からの連合軍の反攻を食い止めやすくなる。しかし東部ニューギニア、ブナからポートモレスビーへ陸路を攻め込むには、標高4000メートル級のオーエンスタンレー山脈が立ちはだかっており、このコースは道もなく人跡未踏の山岳地帯で、加えて距離も実に約360キロメートルもある。そして問題となるのは補給ということである。したがってこの作戦には、先ず先遣隊を派遣して進行が可能かどうか偵察させることにしたのであった。ところがここでも辻は大本営の意向を無視して「第17軍はすみやかに海軍と協力してモレスビー攻略に着手されたい」という辻の判断による偽命令を発したのであった。大本営もこの辻の独断専行な行動に仰天するが、最後には辻の作戦を追認したのであった。

当然このニューギニア島を縦断するオーエンスタンレー山脈を越えてポートモレスビーに至る作戦は大失敗に終わる。そして辻自身も空襲により頭部に戦傷を負ったのであった。

## ◆第４節　ガダルカナル島徹底抗戦の惨憺たる結末の責任は重い

さて、ラバウルがあるニューブリテン島の南東には、縦二列に約１、０００キロメートルにわたりソロモン諸島が連なっている。この南東端近くにガダルカナル島がある。東西１３５キロメートル、南北45キロメートルで中央部には約２、０００メートルの山脈が走っており、北部に一部平野があるが大部分は密林におおわれている。

日本軍は、１９４２年（昭和17年）８月８日に小飛行場も完成させる。これにより米豪交通の遮断と豪州攻撃を行い、オーストラリアを孤立させることを考えたのであった。ところが２日後の８月10日突如として米軍約１万人が上陸し、完成したばかりの飛行場を奪ってしまったのであった。これでは米豪遮断どころかラバウルが危なくなる。

我が国の陸海軍ともこの状勢を重くみて展開を図るが、米軍もここは本命として一歩も引かず、我が国は、補給が続かず兵力の逐時投入という、やってはいけない愚策を犯し、辻はなすすべがなかった。物量豊富な米軍は制空権を握るだけでなく、海上における勢力も我が国を圧倒したため、我が軍としては地の利がきわめて悪く、制空権がないため補給が困難な上に米軍の地上兵力、火力、航空兵力が圧倒的に優勢で、加えて現在のレーダーに相当する最新機器まで備えるに至り、ガダルカナル島の奪還は絶望的となる。徹底抗戦の辻もここに至ってガ島からの撤退に傾き、大本営もここへきてガ島撤退を真剣に考えるようになっていた。

一方海軍もソロモン海戦では米機動部隊に歯が立たなくなってきていた。

1943年（昭和18年）2月1日、4日、7日の3回にわたり毎回20隻ほどの駆逐艦が夜間ガダルカナル島に接岸し、飢餓に苦しみ疲労困憊した将兵達を収容して、まさに奇跡的に無事帰還したのであった。

## ◆第5節　対中講和の画策で終戦後命拾い

辻は1943年（昭和18年）2月陸軍大学校の教官に異動するが、同8月支那派遣軍の政治後方担当第三課長として中国大陸に赴任する。東條は中国に辻を送りこみ、日本は中国人に対して道義的な政策をとっていると宣伝させ、中国人を日本に協力させようとしたのであった。

このころ辻は、重慶政府主席の蒋介石の故郷の風景写真を、参謀であった三笠宮殿下から見せられる。殿下は辻に「何とかお母さんのお墓だけでも祀ってあげたいですね」と語りかけたのであるが、辻にはかつて満州で爆殺された張作霖の葬式を行い好評を博した経験からピンとくるものを感じ、「何とか方法を講じてみましょう」と応えたのであった。その結果11月24日中国側を主催者とする中日共同の合同慰霊祭が中国の中心地である浙江省の寧波で行われた。この戦争（支那事変）で亡くなった両軍の軍、官、民の戦没者の慰霊祭である。

さらに、翌25日には蒋介石の母親の法要と墓前祭が盛大に行われた。このことは地元の新聞でも大々的に報道された。このことはかなり効果があったように思われる。終戦後辻は夕イ国から中国に逃げ込み、戦犯として処刑されるところ命拾いをしたのはおそらくこのことがあったからであろう。著書「潜行三千里」を読めばよくわかる。

## ◆第6節　日本の敗戦で逃亡

１９４４年（昭和19年）７月３日、辻は第三十三軍参謀に転じる命を受け、直ちに南京から７月10日中部ビルマの中心地であるマンダレー近郊にあった司令部に着任した。ここで彼はビルマに近い中国雲南地区の都市芒市に集結していた、米武装整備を備えた15個師団にも及ぶ印支連絡路を開拓しようとしていた中国雲南遠征軍の進出を阻止するための作戦に従事する。しかし、図上の作戦も中国軍15個師団に対し、わずか２個師団では衆寡敵せず作戦は破綻したのであった。

辻はその後第18方面軍高級参謀としてバンコクに移り、ここで終戦を迎える。

辻に対しては英国がシンガポール以来数々の辻のやってきたことに対し、厳しく戦犯容疑で追及することは自明であったため、彼は、方面軍司令官である中村中将に対して「国家再生のため」潜伏することを願い出てこれが許可された。中将は辻を擁護して英国の問い合わせに対し、「辻は敗戦の責任を感じ自殺するために離脱した。おそらく山中に於いて一人命を絶ったとみられる」と虚偽の説明を行った。

# 第三章　波乱万丈の生涯(3)（終戦後）

## ◆第1節　日中連携画策のため東南アジア、中国に潜伏

ここからは辻の著書「潜行三千里」に詳しく書かれている。辻は数名の青年将校とともに日本人僧侶に変装してタイ国内に潜伏した。英国側もこの情報をキャッチして捜索を強化するが、辻は、たくみにその目を逃れ、バンコクにおける中華民国の代表部に赴いて日中平和のため働きたいと大見得を切り、この助けにより1945年（昭和20年）11月仏領インドシナ（ラオス）のビエンチャンを経てハノイに渡り、ここから飛行機で重慶に向かう。中国では連合国であった国民党政府に匿われ、しかも国民党政権の国防部所属という肩書きまで与えられた。どうしてこのようなことが可能であったかについては、彼がかつて蒋介石の特務機関のボス、戴笠の家族を助けたことにより、国民党政権は、辻へかなりの親近感をもっていたことと、先に述べたようにかつて辻が蒋の母親の慰霊祭を行ったことに由来していたといわれている。しかし、その後中国における国民党と共産党との間の内戦が進み、国民党が不利になってきたことから辻は中国に止まることに危機を感じ、1948年（昭和23年）に上海経由で日本に密かに帰国する。

## ◆第2節　帰国後に体験記を発表し国会議員に当選

帰国後戦犯で訴追されることをおそれ、国内において潜伏する。すなわち偽名で炭鉱労働

者をしたりして国内を転々とする。１９５０年（昭和25年）辻はＧＨＱから思いがけなく戦犯指定を解除される。この結果、辻は再び姿を現すことになった。裏に何があったかというと、１９４９年（昭和24年）12月に蒋介石の国民党が中国軍に敗れ、四川省の成都から台湾の台北に落ちのびたことが影響している。ＧＨＱは朝鮮半島と日本の共産化をおそれ、旧日本陸海軍の将校を対ソ連対中共防衛に利用しようと考えたのであった。

再び世に出た辻は、終戦直後タイから中国に逃げ込んで帰国した体験を「潜行三千里」と題して発表したのであった。続いて「ノモンハン」や「ガダルカナル」「ビルマの死闘」などの著書を次々と発表して名をはせた。さらに１９５２年（昭和27年）には初めて無所属から衆議院議員となる。その後は日本民主党、自由民主党から衆議院選挙に出馬するが、各得票数は選挙毎に減り、１９５９年（昭和34年）５月には参議院に鞍替えして全国区において第３位で当選する。

## ◆第３節　東南アジア視察中に消息を絶つ

１９６１年（昭和36年）４月、辻は参議院に対して東南アジア視察を目的として40日間の休暇を申請し、ベトナムでホーチミンに会見するとして日本を出発した。しかし、１か月程度の日程であったが5月半ばになっても帰国しないため、家族の依頼により外務省は現地公館に対し調査を指令している。報告によると辻は4月10日から4日間バンコクに滞在し、14日に日本大使館の書記官と共に飛行機でビエチャンに向かった。そこで辻は元日本陸軍兵士で終戦後自由ラオス軍の将校に「ホーチミン大統領に会いたいので助けてほしい」と頼み、

4月21日黄褐色の僧衣を着て一人徒歩で北上していったところまではわかっている。これを最後に彼の消息は途絶えてしまう。その後の調査で「ジャール平原でパテト・ラオにスパイとして射殺された」と伝えられているが、真偽のほどはわからない。以上が辻政信の生涯であるが、このような参謀が日本陸軍を牛耳っていたことは日本が負けるべくして負けたのではないであろうか。

帝国陸軍の体質が何時の頃から下剋上を含む体質に変っていったのかをもっと研究してみる必要がある。

第15話

菊池寛が新人作家発掘のため創設

# 芥川賞と直木賞

2020年2月28日

芥川賞と直木賞は、我が国の文壇における二大登竜門として大きな影響力を持っている。今回はこの二つの文学賞について考えてみたい。

## 第一章　文学賞の創設の由来

### ◆第1節　芥川龍之介と直木三十五を記念して創設

大体最近の若い人は本を読まないから、この二つの賞についても全く無知とはいわないが関心が極めて薄いのではないかと思われる。芥川（あくたがわ）と読めない人も相当いるのではないか。しかし、この二つの賞は各々年二回ずつ選ばれており、結構この賞の行方については関心が払われている。毎年の受賞者についても下馬評がそれなりにたたかわされ、新聞紙上を賑わしている。この二つの賞は雑誌「文藝春秋」を発行する出版社、文藝春秋社が主催するものである。

さて、先ず芥川賞であるが、これは大正時代を代表する小説家である芥川龍之介（1892~1927年）の業績を記念して、友人でありかつ文藝春秋社の主宰者であった作家の菊池寛が創設したものである。そして菊池寛は併せて同じく友人の直木三十五（なおきさんじゅうご）（1891~1934年）を顕彰して、1935年（昭和10年）に芥川龍之介賞、直木三十五賞として同時にスタートさせたものである。最初に芥川及び直木の業績を簡単に述べておきたい。

## ◆第2節　芥川龍之介の業績

芥川龍之介は東京都京橋区入船町（現中央区明石町）に、1892年（明治25年）に生を受けている。実家は牛乳製造販売業で新原というそれなりの商家であった。しかし姉が二人いたが、一人は彼が生まれる1年前に病死している。彼の人生に暗い影を投げかけた出来事がある。すなわち実母が彼の生後半年あまりで精神に異常をきたしたため、彼は母の実家の芥川家に預けられ伯母に育てられるのである。

芥川家は徳川家に仕える士族で代々雑用、茶の湯を担当した家柄で、一家共々芸術、演芸を愛好して江戸の文人趣味を色濃く残していた家筋であった。11歳の時母が亡くなると同時に伯父（母の兄）の養子となり芥川姓を名乗るようになる。

両国小学校を経て府立第三中学校に入るが、その後第一高等学校に成績優秀をもって無試験入学を許される。その後最難関の東京帝国大学英文科に入学する。帝国大学在学中の1914年（大正3年）一高同期の菊池寛、久米正雄と第三次「新思潮」を刊行し、作家活動を始めたのであった。さらに1916年（大正5年）上記の菊池、久米のほか松岡譲、成瀬正一ら5人で第4次「新思潮」を発刊し、今昔物語に題材をとった「鼻」をその創刊号に掲載して夏目漱石から絶賛される。その後続々と短編小説を発表している。

その後私の父の師である慶應義塾の美術史家、澤木四方吉教授の推薦により同大学への就職が決まりかけたが実現せず、漱石にならって大阪毎日新聞に入社、1921年には海外視察員として中国（北京、上海）を訪問して見聞を広める。しかし、この旅行後心身の衰えが目立ち始める。そしてこの頃から創作が減っていく一方、私小説的な傾向の作品が現れだし、この流れが晩年の「歯車」や「河童」などへつながっていくのである。

芥川の小説について、初期の作品は、先にも触れた古典などの説話文学に依拠した「羅生門」「鼻」「芋粥」などの歴史物、これは人間の内面やエゴイズムを描き出しているものが多いが評価は高い。中期の作品としては「地獄変」が代表作であるが、とにかく芸術至上主義がうかがわれる。晩年は病に侵され河童の世界を描くことにより人間社会を痛烈に批判しており、問題提起の点は好感が持てる。しかし「歯車」となると精神の均衡に問題があるとみる人もいる。そして1927年（昭和2年）彼は田端の自宅で服毒死をとげる。私の父親は小島政二郎氏や沢木教授などを通じて芥川のことは知っていたようであるが、あのような小説を書いていたら矢張り行き詰るのではないかと言っていた。

## ◆第3節　直木三十五の業績

直木三十五（1891～1934年）といっても最近の人々は余程文学にくわしい人以

外、即反応する人は少ないと思われる。直木は本名を植村宗一といって出身は大阪市である。ペンネームは「植」の字の左右反転と、小説を書き出したのが31歳で三十一、その後三十二、三十三、三十四、三十五と毎年変わっていく。父は大丸呉服店勤務の後、古着屋をいとなんでいたが、生活は決して豊かなものではなかった。

彼は父親が40歳の時の子供であったから彼には相当甘かったのではないか。なかなか彼に関する資料が見つからず、彼が亡くなる3年前に書き未完に終わっている彼の自叙伝「死までを語る」を読み、初めて彼の破天荒な人生を知った。

彼は生まれてから10年目に弟植村清二が誕生する。後に東洋史学者として名を成した人である。小学校の成績はよく、高等小学校を出てから市岡中学校に入学した。著名な画家小出楢重は4年先輩になる。中学に入ってからの学業は振るわなかったが、早くから読書欲に目覚めて特に歴史には詳しかった。しかし英語と数学はからっきしであった。旧制高校は岡山を目指したが初日が苦手な数学だったのでやる気を失い棄権してしまった。当然浪人である。家でフラフラとしている中、母親の弟の親友に薄恕一という医師がいた。彼は相撲界でパトロンをさす「タニマチ」のそもそもの語源となった人で、谷町6丁目で薄病院を経営していた。子供の頃から病弱であった直木は幼児の頃から通院し、19歳の頃からアルバイトをさせてもらうなど、物心両面で世話になっていた。この薄氏が小学校の代用教員の職を世話してくれた。この後彼は父親の反対を押し切り、早稲田大学英文科予科を経て同大学高等師範部の英文科へ進学する。その間いろいろな仲間と知り合うが、月謝未納で中退となるが大学へは登校し続け、その間、里見淳や久米正雄、吉井勇、田中純らと懇意となり、彼等によって創刊された「人間」の編集を担当するようになる。

１９２３年（大正12年）の関東大震災以降は大阪のプラトン社という出版社に勤務して、川口松太郎と共々娯楽雑誌「苦楽」の編集に当るが、これより以降次第に時代小説を書くようになる。

１９２５年（大正14年）映画のマキノプロダクションの主宰者であるマキノ省三と親しくなり映画製作、脚本家として活躍するが、その人間性からマキノ省三には相当迷惑をかけたようである。１９２７年（昭和２年）マキノ省三から多額の出資をさせて製作した映画が全くの不振に終わり、映画界から姿を消す。しかし１９２９年（昭和４年）由比正雪を描いた「由比根元大殺記」で大衆作家として認められ、以後「水戸黄門廻国記」は映画化もされ直木の名は高まった。他に直木作品は50本近く映画化されている。代表作は１９３０年（昭和５年）に書かれた島津薩摩藩のお家騒動を描いた「南国太平記」である。無頼の作家直木三十五は１９３４年（昭和９年）43歳で病没した。

菊池寛と直木三十五とのつながりであるが、親分肌の菊池は直木の才を買い「文藝春秋」に彼の作品を載せていた。また直木の毒舌を発揮する場所としてかなりの期間、毎号彼のコラムを載せていた。当時、今でいうコラムは６号記事といわれており、直木は健筆を振ったがその筆鋒の鋭さは読者を喜ばせたという。

# 第二章　文学賞を創設した菊池寛とは如何なる人物か

## ◆第1節　若くして文学に目覚める

芥川、直木両賞を創設した菊池寛とは如何なる人物かを次に書きたいと思う。菊池は1888年（明治21年）香川県高松市に生まれた。菊池家は、江戸時代は高松藩の儒学者の家柄であったが寛が生まれた頃はすっかり没落し、父親は小学校の用務員をしていた。彼は家が貧しかったため、高等小学校の時は教科書すら買ってもらえず友人から教科書を借り書き写して勉学した。このころから文学に目覚め、幸田露伴や尾崎紅葉、泉鏡花の作品に親しむようになった。1903年（明治36年）高松中学校に入学するが、非常な勉強家で中学4年の際には主席となった。菊池の勉強振りを語る逸話として、中学3年の時に高松に初めて公立の図書館ができるとここに毎日のように通って本を読みふける。そして蔵書2万冊の内、興味のあるものはすべて借りたという。中学を卒業後、成績優秀により東京高等師範に進学するが本人は教師になるつもりはさらさら無く、芝居見物などに熱中して除籍されてしまう。しかし篤志家の援助で明治大学、早稲田大学に籍をおくが、本人が目指したのは文学の道であった。そのため第一高等学校への入試を熱望して勉学にはげんだ。

## ◆第2節　「真珠夫人」で一躍人気作家となる

菊池寛は今述べたような事情により22歳で第一高等学校に入校したのであった。そしてここで芥川、久米、成瀬と出会い、第三次、第四次「新思潮」で行動を共にするが、ある事件に連座して退学のやむなきに至り、その後成瀬の実家（財閥の川崎家）の援助により京都帝国大学に進むが、その際も旧制高校卒の資格がなかったため資格取得のために足踏みを余儀なくされる。その後第四次新思潮に問題作「屋上の狂人」を発表する。彼はそのまま東京帝国大学に進み上記の友人たちと合流するつもりであったが重鎮の詩人でもあった上田万年教授より拒絶され、やむなく京大に止まった。

芥川を中心とする仲間達の華々しい活躍を横目に彼は京都で失意の日を送るが、この時の体験を綴った「無名作家の日記」が評判となった。勿論フィクションはあるが、東京で活躍する芥川等を横目に恵まれない現状を切々と綴ったこの小説は評判となる。そして1916年（大正5年）京大を卒業してその後上京し、芥川、久米などと共に活躍することになる。その後時事新報の記者となるが「新思潮」に有名な「父帰る」を発表し、1919年には「中央公論」に代表作「恩讐の彼方に」を発表し、それを契機に時事新報を退社して執筆活動に専念することになる。翌年東西の毎日新聞に連載した「真珠夫人」が大評判となり一躍人気作家となった。

## ◆第3節　新人作家を世に出すため文学賞を創設

私の父は芥川や菊池、久米などに傾倒していたので私が中学生のころ戦災を免れた父の本棚には芥川や菊池、久米、有島などの本が多数残っていた。やや早熟な文学少年であった私は芥川や菊池の作品をこのころ読みふけった。父の本棚の中には芥川の「傀儡師（クグツシ）」

なる1冊があり、この中には「蜘蛛の糸」や代表作の一つである「地獄変」などがおさめられていた。また菊池の短編を一冊におさめた本があり、「恩讐の彼方に」をはじめ「忠直卿行状記」や、歌舞伎役者の坂田藤十郎が人妻に舞台に生かすため偽の恋を仕掛ける「藤十郎の恋」、杉田玄白と前野良沢の激しい腑分け（解剖）についての競争を書いた「蘭学事始」など菊池の本領を表す作品が網羅されていた。しかし何といってもこの頃一番感銘を受けたのは先にも少し触れたが「無名作家の日記」であった。これは重複するが、フィクションも相当あると思うが京都にあえなく都落ちした菊池が東京での芥川や久米の華々しい活躍を横目にして焦燥を感じる様を見事に描いている。そして人気作家となって菊池は1923年（大正12年）若い作家のための雑誌「文藝春秋」を創刊し、その後文藝春秋社という出版社を立ち上げる。この出版業においても菊池は大成功したのであった。

そのような中で1935年（昭和10年）新人作家を世に出すための「芥川龍之介賞」と「直木三十五賞」を設立したのであった。以上芥川賞及び直木賞ができたいきさつを述べたが最後に両賞がその後どのような形で現在に至っているかを述べたいと思う。

# 第三章　ジャーナリズムで大きく取り上げられる両賞

## ◆第1節　「太陽の季節」が社会現象を呼び起こす

両賞とも今でこそジャーナリズムで大きく取り上げられているが、当初は菊池が考えていたほど世の耳目を集めていたわけではない。転機となったのは1956年に石原慎太郎が「太陽の季節」により受賞したことであった。当時学生であった石原の作品が大きな話題を呼び、受賞作がベストセラーになったばかりではなく「太陽族」という言葉が生まれ、一種の社会現象を呼び起こしたのであった。それ以降両賞の社会的な存在は大きなものとなった。芥川賞はその対象を「無名あるいは新人作家」としており、特に発足の初期は、そのことが議論の対象となった。というのは戦争中4年間、この賞は中断しており戦後復活した時点で新人かどうかが問題となったのであった。現在ではデビューしてから相当年数を重ね他の文学賞を受けている作家が受賞するようなことが当たり前となっている。作品の長さにも一応の基準があり、第一回の受賞作石川達三がブラジル移民を書いた「蒼氓」が原稿用紙150枚であったためこれが目安となっているが、現在ではその倍の枚数のものまで現れている。

## ◆第2節　あいまいな両賞の境界

純文学の新人賞として設けられている芥川賞であるが、大衆文学の賞として設けられている直木賞との境界はしばしばあいまいである。その例を挙げるなら、著名な純文学作家井伏鱒二が1937年に直木賞を受賞し、社会派作家として有名な松本清張が1952年に直木賞ではなく「或る『小倉日記』伝」で芥川賞受賞となったのは両賞の境界のあいまいさを表している。極端な例は柴田錬三郎が1951年芥川賞と直木賞の両方の候補となり、結局直木賞となったのもおかしいといえばおかしいのである。両賞のジャーナリスティックな性格はしばしば問題となるが「文藝春秋」という商業誌が行っている行事であるからそうなるのは当然であろう。そのことは両賞の設けられた当初から文藝春秋誌上ではっきりと謳われている。

### ◆第3節　芥川賞にまつわるエピソード

芥川賞に関して落としてはいけないエピソードがある。太宰治は今日でも読者の多い作家であるが、太宰は当時生活が乱れており薬物中毒であった。彼はどうしても第一回芥川賞がほしかった。受賞することにより生活を立て直したかったのであろう。選考委員の佐藤春夫は太宰を推したが川端康成は反対して受賞はかなわなかった。

私は若い時は両賞が発表される毎によく読んでいたが、最近はとんと関心が薄くなってしまった。最近の若い作家の作風については老化した頭では到底ついていけないのである。ただ最近といっても２０１０年に朝吹真理子氏が「きことわ」という作品で芥川賞を受賞したが、朝吹さんの高祖父、朝吹英二氏が大実業家で祖父、山治の恩人の一人でもあったのでよく読ませていただいたのを覚えている。しかし早やあれから10年経過しているのには驚きである。朝吹さんが受賞した時、新聞各紙は、朝吹家は文学一家（父は詩人、祖父の妹はフランソワーズサガンの翻訳で有名）としか紹介していなかった。朝吹英二に触れた新聞は無かった。まったく最近の記者の知識はその程度である。

もう一つ付け加えさせていただくと１９５２年（昭和27年）頃と思うが中学校のある教室の引き出しの隅に、戦時中の粗悪な紙を使った薄っぺらな「文藝春秋」が一冊入っていた。何気なしにページをめくると１９４３年（昭和18年）下半期の芥川賞受賞作の東野辺薫氏の「和紙」という作品が掲載されていて、これが芥川賞というものかと思い一読した。余り記憶には残っていないが純文学とは難しいものだなあという強い印象を受けたのを覚えている。

第16話

## 明治30年法制化される
# 文化財の流出と廃仏毀釈

2020年3月31日

いささか古いが、昨年11月当時の文部科学大臣の下村氏は、日本の重要美術品が中国においてオークションにかけられて日本人以外の手に渡ったことを明らかにした。さらに、この事件に関連して文化庁は国宝を含む重要文化財が100点以上行方不明になっていることを明らかにしたのであった。一般の方々はおそらく国宝、重要文化財、あるいは重要美術品といっても、それが何なのか正確に承知していないと思う。

## 第一章　文化財の流出

### ◆第1節　文化財指定制度の沿革

明治時代に入って吹き荒れた廃仏毀釈の嵐は、日本の重要な歴史的な絵画、彫刻、建物などに深い爪痕を残したのであった。この廃仏毀釈のため多くの寺院が壊滅されて、寺院が保有していた貴重な文化財が四散し、その内の相当な部分が海外に流出した。廃仏毀釈については後ほどさらに詳しく述べたいと思う。その文化財流出の惨状にようやく国としてこれではいけないと、1897年（明治30年）になって「古社寺保存法及び国宝保存法」が制定され、これによって「国宝」（旧国宝という）に指定された文化財は海外への持ち出しが禁止された。国宝は美術工芸品5、824件、建造物が1、059件であった。その後戦後の1950年（昭和25年）新たに「文化財保護法」が制定され、これにより旧国宝はすべて重要文化財となった。そして重要文化財の内、特に日本の文化史の上で貴重なものが新たに国宝（新国宝）に指定された。さらにその後、研究が進んで国宝にふさわしいと判断された物が重要文化財から選ばれて国宝となっている。

## ◆第2節　未指定美術品の名品が相当存在

しかし、この1897年（明治30年）制定の「国宝保存法」に基づいて国宝になったもの以外にも数々の名品があった。国宝に指定されると勿論、海外には持ち出すことができなかったのであるが、その網の目を潜り抜けた未指定の美術品が相当存在していた。

具体的には1921年（大正10年）我が国の絵巻物の代表作の一つである平安時代に描かれた「吉備大臣入唐絵巻」がアメリカのボストン美術館の所蔵に帰したのである。このことは大問題となり、日本の古美術品の海外流出を防止するための法整備の必要性が論議されるようになり、1933年（昭和8年）になってようやく「重要美術品等ノ保存ニ関スル法律」

が制定され、この法律により歴史上または美術史上、特に重要な価値のある物件は海外輸出について文部大臣の許可が必要となった。なお国宝、重要文化財は「指定」というが、重要美術品は「認定」といっている。

## ◆第3節　偏った重要美術品の認定

重要美術品に認定された物件は、絵画、彫刻、建造物、文書、典籍、書跡、刀剣、工芸品、考古学資料の9部門になっている。しかし、「文化財保護法」における国宝、重要文化財の指定はおおむね社寺の保有物が大部分（個人所有も相当数あるが）であるのに対して重要美術品の認定物件は圧倒的に個人蔵が多く、分野的には刀剣、浮世絵、古筆（主として平安、鎌倉時代のもの）宸翰（しんかん）（天皇の筆跡）など幾つかの指定分野に集中している。これは海外流出を止めなければならないということが第一義であったため、迅速に作業が進められたことも特定分野に認定物件が偏った一因であった。と同時に緊急措置として認定を急いだため、いささか価値の定まっていない物件が多数混入しているとの指摘もある。一方当時としては全く顧みられなかったが今や花形となっている彫刻の円空仏や木喰仏などが入っておらず、一方ではエル・グレコやミレー、モローなどの近世西洋絵画が入っていたりして、いささか唐突にして奇異な感じを受けるところもある。

# 第二章　お粗末な我が国の文化行政

## ◆第1節　進まない旧重要美術品の調査

１９５０年（昭和25年）に文化財保護法が施行された時点で重要美術品は、約８、２００点存在していた。そしてこの時点で旧「重要美術品等ノ保存ニ関スル法律」は廃止された。しかし旧法によって認定された物件は、「文化財保護法」施行後も同法の附則に基づき当分の間その認定効力を持つとされている。そして重要美術品の認定が取り消されるのは、（１）重要美術品等の認定物件が重要文化財に「格上げ」された場合と、（２）同じく認定物件が海外輸出を許可された場合に限られているのである。重要美術品等認定物件については第二次世界大戦中に焼失したり、戦後の混乱期に所在不明になっているものが多いといわれている。

一方第二次世界大戦後に重要美術品から重要文化財指定を経て国宝に指定されたものもある。信じられないようなことであるが、五島美術館の所有する源氏物語絵巻は徳川美術館に国宝として存在しているものの片割れであるが、国宝指定ではなく、重要美術品であった。これは１９５２年に重要文化財に指定されると同時に国宝となった。当然のことである。

その他もう一つ大きな事例がある。現在奈良国立博物館所蔵の平安時代を代表する仏画である「絹本著色十一面観音像」も戦後まで重要美術品のままで１９９２年に重要文化財に、そして１９９４年に国宝となった。このように国宝と重要美術品の線引きにはどのような事情からか、曖昧さがあったのである。

さて、「重要美術品等ノ保存ニ関スル法律」は廃止された後も重要美術品は「当分の間」その認定効力を保つとされていたわけであるが、法律廃止後半世紀が経過した今日でも重要文化財に格上げにはならなかったものの、大部分が認定効力を保ち続けており、文化庁は重要美術品の調査を進め、重要文化財への格上げか指定取り消しを進めるとしているものの、実際のところこれまでもたびたび問題になりながら実行されておらず、これはいろいろと問題を生じさせている。

## ◆第2節　海外流出フリーに置かれている美術品

重要美術品等認定物件の内、海外への持ち出しが許可されて認定を取り消されたものは1950年から2008年までの間に25件ある。近年では有名な黒田家の油滴天目茶碗が、米国のクリスティーズのオークションで12億円という高値で落札され話題となったが、この件なども重要文化財にどうして格上げされなかったのか疑問に思うところである。

現在旧「重要美術品等ノ保存ニ関する法律」による認定の効力を有する物件は約6、000件と推定されているが、文化庁から公式な目録、図録が公表されていないので厳密な件数は不明である。思うに重要文化財に比較して文化庁の目が届きにくい重要美術品については、前記のように海外への持ち出しが許可されたのは25件などということは私見としてはあり得ないと思う。相当大きな数量が文化庁の知らぬままに流出していると思っている。これこそが我が国の文化行政のお粗末な点であるが、手前味噌ではあるが、卑近（ひきん）な例を一つあげておきたいと思う。

当館創立者の武藤山治は、与謝蕪村が、現在のように有名になる前からその価値に着目して蕪村の絵画を研究し、また自ら収集を行った。現在では少し美術に詳しい人なら大概の人は知っている代表作水墨淡彩「夜色楼台図」は、私が社会人になってしばらくしても重要文化財指定はおろか、重要美術品にすら認定されていなかったのである。これも信じられないような話で、悪くいうならば海外流出フリーの状態に長くおかれていたのである。これに気がついて行動を起こされたのが現在京都国立博物館の館長で、当時文化財保護委員会におられた佐々木丞平先生であった。先生のご努力により1975年に重要文化財に指定され、2009年に蕪村作品として初めて国宝に指定されたのであった。

「夜色楼台図」は無指定にもかかわらずその後国宝になり、日本を代表する文人画として存在しているが、もう一つ、これは最近のことであるが無指定であったため海外でオークションにかけられ、幸い日本人が落札したためアメリカに渡ることを免れた作品がある。具体的には、足利氏の菩提寺、樺崎寺が保有していた鎌倉時代の運慶作の「木造大日如来坐像」が2008年3月ニューヨークのクリスティーズオークションにおいて、約14億円で競り落とされ宗教団体の真如苑の所蔵となり、海外流出を免れたのであった。この仏像は上記の寺院に在ったが、廃仏毀釈のため本寺は廃され本尊のこの像が転々としていたが、その軌跡は不明である。

2003年頃ある外資系の会社に勤めるサラリーマンが35万円で購入し、東京国立博物館に鑑定を依頼したところ、胎内物から運慶の作品であることが確実となった。所有者は国に対して8億円で売りたいと申し入れたが国には購入余力がなく、仕方なく海外で売ることにしてオークションにかけられたのであった。

幸い前記のような結果となり運慶の作品は日本にとどまったのであった。これなども指定されていない文化財がいろいろラッキーな点が重なって国内にとどまった例である。

## ◆第3節　重要文化財の現状

さて、重要文化財の指定件数であるが、重要文化財は建造物と美術工芸品の2つに大別されており、その内美術工芸品は絵画、彫刻、工芸品、書跡、典籍、古文書、考古学資料、歴史資料に分けられている。指定物件は次のとおりである。

○建造物―　2,503件　5,083棟　（内国宝277件　290棟）
○美術工芸品―　10,772件　（内国宝893件）

内訳

・絵画―　2,031件　（内国宝162件）
・彫刻―　2,715件　（内国宝138件）
・工芸品―　2,469件　（内国宝253件）
・書跡、典籍―　1,916件　（内国宝228件）
・古文書―　774件　（内国宝　62件）
・考古学資料―　647件　（内国宝　47件）
・歴史資料―　220件　（内国宝　3件）

令和元年9月現在

以上重要文化財と重要美術品の現状についてお話させていただいた。ところで先ほどらい述べてきたように国は歴史上、芸術上価値の高い文化財の海外流出を防ぐため仏像、絵画、刀剣など約1万点を重要文化財に指定し、海外への流出を厳重に防いでいるのであるが、やや古いが２０１３年10月に国宝、重要文化財の調査を全国的に行ったところ少なくとも国宝1点を含む76点の所在がわからなくなっていることが明らかになっている。行方のわからないものは国宝の来国光の刀剣が所在不明、その他盗難にあって所在不明のものは仏画5点、仏像11点、また刀剣で所在不明のものが多く76点の内大半を占めている。これは戦後進駐軍の軍人が刀剣は彼等にとっても大変わかりやすく、当時の進駐軍の力で本国に無断で持ち帰ったものが大半ではないかと想像する。

# 第三章　廃仏毀釈

## ◆第1節　廃仏毀釈の意味

また仏像、仏画に盗難が多いのは次に詳しく述べる、明治時代に新政府が行った廃仏毀釈と密接に繋がりがあると考える。廃仏毀釈とは、仏教寺院、仏像、経巻を破毀して仏教を廃することを意味している。「廃仏」は仏を廃（破壊）して「毀釈」とは釈迦（釈尊）の教えを破壊（毀）するという意味で、中国においては宋以後に起こった朱子学派が廃仏を進め大きな影響力を持った。一方日本においては江戸時代から儒学が興隆し、その際廃仏が唱えられるようになった。特に明治の初期に神仏を分離して国家と結びついた神道を推し進めるという風潮が盛んになり、多年にわたり仏教に虐げられてきたと考えていた神職者や一般民衆の動きが廃仏毀釈の力となった。

## ◆第2節　廃仏毀釈に至る歴史

これによって各地で仏教寺院の取り壊し、仏像や経巻、仏具の焼却などが行われたが、この事件を契機として腐敗していた仏教が新しい日本近代仏教に生まれ変わったという考え方もある。これは仏教が伝来し奈良時代になって、日本に元々あった神道とこの仏教が一つになったという考え方である神仏混淆（神仏習合ともいう）が長らく我が国では行われてきた。いうならば仏教の仏も日本古来の神様の一人として迎えられたのであった。そこで神社には神宮寺が設けられ神前で読経が行われるようになった。一般に神道の宗教施設を神社、仏教の宗教施設を寺院と区別しているが、実は江戸時代まではっきりと区別されていなかったのである。

神社の中に寺院があり、また寺院も神道の神を祀っていたのであった。鳥居は神社の敷地にあるものであるが、寺の中に鳥居があるものが、例えば生駒聖天を祀る宝山寺の山門の前には鳥居があるし、奥の院本堂には五社明神という神を祀る祠がある。最も有名な例は日光の東照宮である。東照宮はまさに神仏習合の考え方を如実に表わしている存在である。すなわち東照宮という神社の中に本地堂（薬師堂）という建物があり薬師如来をお祀りしている。

話は前後するが日本各地に神宮寺という寺院がある。この存在する意味は「神社に祀る神様を仏様の力で救うという意味でつくられた寺院」ということである。実は伊勢神宮の中にも神宮寺が存在しているのである。この神仏混淆は当初は仏教が主体で神道が従であり、平安時代に先ほど述べた神前での読経や神に菩薩の名前を付けることが行われるようになる。具体的には阿弥陀如来すなわち八幡神、大日如来は伊勢大神であるという本地垂迹説が台頭した。

仏教が伝来したのは6世紀半ばの欽明天皇の時代であるが、当初は物部氏などによる弾圧が行われたが、仏教を受容した蘇我馬子が聖徳太子と協力しつつ仏教を神道に代わるものとして取り入れることに成功したのであった。

以後曲折はあるが、その後の藤原氏が実権を握った平安時代から鎌倉、室町を通して仏教は大いに栄えたのであった。戦国時代、安土桃山時代になって一部キリシタン大名が支配した地域において神社仏閣が焼き払われたことがあったが、神仏混淆の時代が長らく継続したのであった。ところが江戸時代に入ると儒学の勢いが大きくなり、神仏混淆を廃して神仏分離を唱える動きが高まってきたのである。例えば池田光政や保科正之などの有力大名がその領内において仏教と神道の分離を進め、仏教寺院を削減させる政策をとった。

しかし、何といっても大きな影響力を持ったのは徳川光圀によって行われた水戸藩の廃仏で、規模が他を圧するもので領内の半分の寺院が廃されたという。

そして光圀の影響によって生まれた水戸学では、神仏分離、神道尊重、仏教軽視の風潮が一層強くなり、幕末に登場した徳川斉昭は水戸学者の藤田東湖を重く用いてより一層厳しい弾圧を仏教に加えたのであった。

水戸藩は天保年間のことであるが、大砲を鋳造するとして寺院の梵鐘、仏具を供出させ多くの寺院を整理したのであった。幕末に新政府を作ることになった人々には、こうした後期水戸学の影響を強く受けた人が多かった。また同時勃興した国学においても神仏混淆的であった吉田神道に対して神仏分離を唱える復古神道が台頭し、中でもその内の過激な平田派は明治新政府の当初の宗教政策に深く関与したのであった。

## ◆第3節　文化面で大きな爪痕をのこした廃仏毀釈運動

大政奉還後成立した明治新政府は、政権発足と同時に1868年（明治元年）「神仏分離令」を布告したが、さらに1870年の詔書「大教宣布」などの政策を拡大解釈した民衆が暴走し、大掛かりな仏教施設の破壊が行われた。前記の日本政府による神仏分離令や大教宣布はあくまで神道と仏教を分離することが目的で、仏教排斥を意図したものではなかったが、結果として廃仏毀釈運動（廃仏運動）にまで拡大した。特に長年仏教に虐げられたと考えていた神職者達は、各地で寺院建物、仏像、経巻、仏具の焼却や除去を行った。これは私からいわせれば一種の集団ヒステリーで、これに類するものは近年中国で発生した文化革命による伝統物件の打ち壊しに類するものであろう。

しかし、これらの廃仏運動によって、先に述べたようにむしろ古い仏教の覚醒がもたらされたという面もあり、日本の近代仏教は、この事件を契機に新しく展開していったのである。しかしながら、この廃仏毀釈は日本のあらゆる面、特に文化面において大きな爪痕を残してしまった。廃仏毀釈によりどのようなことが現に行われたか若干触れておきたい。破壊された建物の主なものを挙げると

○大阪住吉大社の神宮寺の二つの塔を持つ大伽藍

○奈良興福寺の食堂
○同じく現在国宝に指定されている興福寺の五重塔は接収され25円で売りに出され、あやうく薪にされるところであった。
○大神神社の別当寺である平等寺
○石上神宮の別当寺内山永久寺
○京都愛宕神社の神宮寺、白雲寺
○上野東照宮五重塔
○久能山東照宮五重塔
○北野天満宮多宝塔
○石清水八幡宮大塔
○鶴岡八幡宮大塔
紙面の関係でこれくらいにしておくが、毀されたものはすべて現存すれば国宝的なものばかりである。誠に残念なことである。

廃仏毀釈によって被害を受けたのは建造物だけではない。飛鳥、天平、藤原、鎌倉、室町各時代の仏画、仏像、絵画、工芸品、書跡、古文書、歴史資料などが焼却されたり、毀損されたりして行方不明になったものが多数存在していたはずである。

このように建造物が破壊されると同時に貴重な文化財が破壊者により持ち出されたりして、それが値打ちすらわからないままに二束三文で売却されたケースも多々あったであろう。そしてこの頃これに目をつけた海外の収集家が破格の値段でこれを入手し海外に持ち出しているのである。ヨーロッパやアメリカの美術館には、現在では持ち出すことのできない仏教美術の優品が並んでいるのを私は何度も目にしている。おそらく「文化財保護法」成立前に堂々と日本人がその値打ちがわからないままに外国人の手に渡してしまったのであろう。

## ■おわりに

祖父武藤山治は古美術品に詳しく収集も行っていたが、有名な話がここにある。彼はある時、1897年（明治30年）以前に間違いないが兵庫県の丹波篠山地方のある寺の住職から一幅の仏画の購入を依頼された。寺は廃仏毀釈の影響で困窮し、手元に残っていた寺宝の鎌倉時代の仏画「虚空蔵菩薩像」を売却しようとしたのであった。これは大変な名品であったので、先方の言い値で買い取り所蔵していた。ところが、しばらくして時の兵庫県知事清野長太郎氏から、武藤は財力にまかせて寺宝を取り上げたとしてクレームがついた。武藤は「自分は個人の欲得でこれを取得したのではない。寺が困窮してこのままにしておくと外国人の手に渡るかもしれない。それでは国のためにならぬ」「あくまでとやかくいうなら自分には考えがある」として本品を東京国立博物館に寄付してしまった。真に武藤らしい切れ味である。

次にもう一点ふれておこう。奥琵琶湖地方には有名な渡岸寺の国宝十一面観音をはじめとして10数体の観音菩薩の優品が存在している。これらはかつて、すべてれっきとした寺院に安置されていたのであるが、廃仏毀釈により堂を失い仏像だけが地元の有志によりかろうじて保護、保存されているものもあり、中には無住のお堂に座しておられるものもある。これなども廃仏毀釈の残した爪痕の一つであろう。

第17話

コロナウィルス

# オリンピックを考える

2020年5月30日

今年も早や5月も終わりに近づいたが、本2020年は第32回夏季国際オリンピック大会が7月22日から8月8日まで開催されることになっており、コロナウィルスの蔓延による明2021年への延期がなかったなら、身近で行われる聖火リレーなどで今頃はオリンピックへのムードがいやが上にも高まっている時期ではないかと思う。オリンピックには夏季大会と冬季大会があるが、今回の第32回夏季大会の開催は、1964年に続く2回目の大会である。1964年といえば昭和39年になるが、1960年（昭和35年）に発表された「経済白書」において「もう戦後ではない」と日本の復興が高々とうたわれた時期で、まさに高度経済成長真只中であった。それだけに国家的なバックアップによる設備投資や開催地東京の都市改造が進み、文字通り東京は一変したのであった。一方これを契機に選手の技量向上が大幅に進んだことも事実であった。

ところで昨年末、中国武漢に源を発する新型コロナウィルスの突然の来襲により世界的なパンデミック状態のやむなきに至り、我が国においてもオリンピックの開催は難しいと判断され、ご承知のように2020年大会の開催は明年の7月23日から8月8日に延期となってしまった。未だはっきりしたわけではないが、コロナウィルスがこのまま収束して、来年にはっきりと安全に開催できるかどうかは、今のところわからないのではないか。目先の問題として仮に2021年7月に開催が可能となっても、国際オリンピック委員会（IOC）や東京都の非公式発表によると、延期によって実に3、000億円の巨費の追加資金が必要になるといわれている。

コロナウィルスにより日本に限らず全世界の国々が経済的なダメージを強く受けている中で、コロナウィルスの存在自体と巨額な財政負担により今回のオリンピックは大きな影響を受けている。このままの方向で推移するなら私見としては、今回のオリンピックの来年開催は難しくなり第32回大会は中止せざるを得ないことも、十分にありうると思う。このように今回の大会が下手をすると中止ということもありうるのであるが、以前からオリンピックそのものが、大きな曲がり角にさしかかっていたことは否定することのできない事実である。

# 第一章　古代オリンピックの概要

## ◆第1節　古代ギリシャの競技祭典が起源

そんなことは承知だという方も多いと思うが、現在行われているオリンピックは古代ギリシャにおいて紀元前8世紀から紀元後4世紀にかけて行われていた4つの大会の内、一番権威があった主神ゼウスをたたえるためオリンピアで行われていた競技祭典こそがオリンピア大会なのである。

最盛期にはギリシャの各地から選手が参加して、争いの多かったギリシャにおいてギリシャ人はこれを格別に神聖視して大会の期間は勿論、その前後3か月間ほどを休戦期間とした。またギリシャ語の資料によると、広くオリンピア祭の回数（オリンピアードという）をもって年を数えることになっており、ギリシャ人の血筋を持った者しか参加は許されなかった。また、この祭典はゼウス（男神）をたたえる祭であったから参加者は女人禁制で競技者は全員裸体であった。

一方ゼウスの妃ヘラに捧げる祭がオリンピア祭と重ならない年に行われた。すなわちこれは女子のみの祭典であった。

## ◆第2節　古代オリンピックの沿革

オリンピックが何時始まったかは記録の不備もあって不明であるが、確かな記録では紀元前776年に行われたことが明らかで、アテネ、スパルタ、エーリス、その他の都市が参加した古代オリンピックの回数を数える時はこの大会をもって第1回と数えるのが通例である。競技は、当初はスタディオン走（192メートル）だけで1日間であったが後に種目も増え、紀元前472年には5日間となった。競技もスタディオン走に加え中距離走、長距離走、五種競技、円盤投げ、やり投げ、レスリング、ボクシング、走り高跳びや戦車競走であった。その後アレキサンダー大王のマケドニアが抬頭したが、それまでは辺境にあったためギリシャ人にもかかわらずオリンピアに参加していなかった。しかしアレキサンダー自身自らヘラクレスの子孫であると主張し、マケドニアもオリンピアに参加することになる。

ローマの時代になっても、ローマ人も出自はギリシャにあることを証明して参加していた。ローマがギリシャ全土を征服した後もオリンピア祭は続けられたが、ローマ皇帝ネロはこの大会を私物化したため、オリンピア大会の権威はすっかり失墜したのであった。その後キリスト教が広まるにつれ異教ローマ（ギリシャ）神の祭典であるオリンピアは次第に廃れていった。

紀元392年にキリスト教がローマの国教となったため、キリスト教以外の宗教は禁じられ、393年に開催された第293回オリンピア祭が古代オリンピックの最後の年となった。この後ローマの異教神殿破壊令によりオリンピアの全神域が破壊され、古代オリンピックの長い歴史が閉じられたのであった。

# 第二章　近代オリンピックの概要

## ◆第1節　近代オリンピックの成り立ち

それでは古代オリンピックに対して現在行われている近代オリンピックとは何か、案外知っている人が多いようで知られていないので、この成り立ちを説明しておこう。そもそも現在のオリンピックは夏季と冬季の大会があり、夏季オリンピック第1回は1896年古代オリンピック発祥の地であるギリシャのアテネで開催された。その間2度に亘る世界大戦による中断にもかかわらず現在まで継続されている。

一方冬季オリンピックは1924年にフランスのシャモニー、モンブランで開催され、1994年以降は西暦が4で割り切れる年に夏季大会が、4で割って2が余る年に冬季オリンピックが開催されることになった。何故そうなったのかわからないが、結局1994年のリレハンメル大会より夏季大会と冬季大会を2年おきに交互開催することになり現在に至っている。面白いことに、冬季オリンピックの始まった当初は、夏季大会開催国の都市に優先的に開催権が与えられていた。しかし夏季開催都市に冬季オリンピックを開催するための条件が必ずしも満たされなかったため（例えば降雪量不足など）1928年夏季大会のアムステルダムが冬季大会開催不能となり、スイスのサンモリッツとなって、以後別々に行われている。ただパラリンピックは1988年のソウル大会以来夏冬同一国内で行われている。

## ◆第2節　オリンピックの復興とクーベルタン男爵

さて近代オリンピックの復興について語るには、フランス人クーベルタン男爵の名前を抜きにして語ることはできない。クーベルタンは、１８６３年に15世紀に源を持つイタリア系の名門貴族フレディ家の三男として誕生する。彼の生まれたころ海の向こうの英国では産業革命が起き、スポーツの制度化が進み伝統的な名門校においてはスポーツが教育に取り入れられていた。一方フランスにおいては１８７０年のプロシアとの普仏戦争においてフランスが敗れ、皇帝ナポレオン３世は退位して共和制が三度復興するという混乱期にあった。当時の貴族の継承者でない子弟のならいに従ってクーベルタンも中等教育を終えると17歳で陸軍上官学校に入学した。当時の習慣では貴族の子弟は軍人になるか、法律家となるかのいずれかであったから、このコースはお決まりのものであった。しかし、彼は軍事的な教育になじめず数か月で退学してしまう。そのような自分を見失っていたある日、彼はあるフランスの哲学者の書物で、その中で引用していた当時ベストセラー小説であったトーマス・ヒューズの「トム・ブラウンの学校生活」に強い感銘を受けたのであった。この小説は英国のパブリックスクールを舞台に主人公のトム少年が学業に、そしてスポーツに躍動する姿が活写されていた。そこには青少年教育の推進者トーマス・アーノルドの姿があったのだが、彼はこの考え方に心底共鳴したのであった。そして20歳になり彼は初めて英国に渡り、イートン、ハローなどの名門パブリックスクールの実際にふれ、彼は人間の成長には肉体と精神の融合こそが必要であると強く感じたのであった。そして自分こそフランスにおけるトーマス・アーノルドにならんと決意したのであった。

クーベルタンは、父が切実に願った法律学校をわずか1年で退学。この時点で自らの生き方をスポーツと教育にと思い定めたのであった。その後幾度かの英国訪問を経て、フランススポーツ連盟を結成すると同時に、フランスの教育省から近代スポーツ普及のための研究を命じられ、すでにプロスポーツが誕生していたアメリカを訪問し、また世界各国に学校でのスポーツ教育に関する質問状を送るなど精力的に活動し、クーベルタンの名前はこの世界でよく知られるようになった。

丁度時を同じくして彼を刺激する大きな出来事があった。それはドイツ帝国による古代オリンピック遺跡の発掘であった。トロイ発掘で著名な考古学者ハイリッヒ・シュリーマンの指導を受けた発掘はねばり強い作業が続けられ、1881年までにオリンピアの主要な遺跡の発掘をとげていたのである。このことにより益々当時の欧州では、古代への夢と憧れが語られるようになっていた。このような情勢の中でクーベルタンは肉体と精神の融合の理想として、古代ギリシャで行われていた「オリンピックの復活」を本気で考えるようになっていくのであった。

それより少し前、1830年代から50年代にかけて、ヨーロッパの各地においてオリンピックの復興を企てる動きはあった。しかしそれが大きなうねりとなって一定の方向へは進まなかった。しかしクーベルタンは熱心にこのオリンピック復興運動に取り組んだのであった。彼は1892年11月フランススポーツ連盟創立5周年の記念式典で、初めて「オリンピックの復興」を説く講演を行った。しかし、この時は準備不足で反応は芳しくなかった。そこで彼は周到な準備を重ね、2年後の1894年6月、パリ大学で行われたパリ国際アスレチック会議において「オリンピックの復興」が満場一致で決議された。そして第1回の大会が2年後の1896年に、オリンピック発祥の地であるギリシャのアテネで開催されることになり、以後4年に1度開催して、その理念を広めるため開催地をその都度変えることになった。また競技種目は近代スポーツに限ることとなり、競技大会の母体として今も続くIOC創設も決まった。

## ◆第3節　波乱万丈のオリンピックの歴史

クーベルタンは彼の信念である「スポーツの力を取り込んだ教育改革を地球上で展開し、これによって世界平和に貢献する」という理想を説いたのであった。これが彼のいういわゆる「オリンピズム」であるが、実際にはこの「理念」より大半の委員が興味を示して推進したのは総合競技大会という目新しさに飛びついたのが実情で、クーベルタンの理想追求が本当に現在にまで生かされているのかは、現在のオリンピックの実状を考えたとき大変疑問に感じるのである。

クーベルタンの提唱により発足したオリンピック大会はあくまでアマチュアリズムを基本とし、古代の平和の祭典の復興を目指したものであったが、第1回のアテネ大会から今日に至るまでを俯瞰すると、まさに波乱万丈といってよい。第1回のアテネ大会は資金集めに苦労したが、一応大きな成功を収めた。しかしその後の1900年のパリ大会、1904年のセントルイス大会ではいろいろな不祥事もあり、大会運営においても不手際が目立った。しかし１９０８年のロンドン大会、１９１２年のストックホルムの大会からようやく大会としての体裁が整い出した。

第一次世界大戦により１９１６年のベルリン大会は中止となったが、１９２０年にアントワープ大会が開かれ、また冬季大会も１９２４年から開催されるようになったが、この頃から「国を挙げてのメダル争い」が盛んになり、一方開催国も国力の誇示を意図するようになり、その最たるものが１９３６年のナチス・ドイツによるベルリン大会であった。クーベルタンはこの大会の成功を見てナチス・ドイツに共鳴していった節がある。

その後第二次世界大戦の勃発により１９４０年の東京大会は中止、以後大戦が終了して若干の落ち着きを示した１９４８年に、戦後初めての大会が、ロンドンで開催されたが敗戦国のドイツ、日本は招待されなかった。続く１９５２年ヘルシンキ大会からはソ連が参加し、アメリカとソ連のメダル獲得争いは熾烈なものとなった。航空機の発達によりオリンピックの開催地は全世界での開催が可能となり、１９５６年にはオーストラリアのメルボルンで行われ、そして１９６４年（昭和39年）には東京で開催されたのはご存知の通りである。

# 第三章　曲がり角を迎えたオリンピック

## ◆第１節　ショービジネス化したオリンピック

オリンピックがこのように大イベント化するにつれ政治的な動きが大きく加わり、１９６８年のメキシコ大会では黒人差別に反対を訴える場と化し、さらに１９７２年のミュンヘン大会ではアラブゲリラのテロ事件が発生した。1980年のモスクワ大会ではソ連のアフガニスタン侵攻に反発したアメリカ、西ドイツ、日本などが大会をボイコットし、1984年のロサンゼルス大会では、ソ連と東欧諸国が報復ボイコットした。そしてオリンピックが回を重ねる毎に巨大化していく中で、その開催をまかなう財政負担は莫大なものとなり、普通の財政状況の国家では開催は不可能となっていった。1976年のモントリオール大会では夏季大会で莫大な赤字を計上したため、その後夏季・冬季とも立候補する都市が1〜2都市という状況におちいった。

オリンピックは曲がり角を迎えたのであった。しかし1984年に開催されたロサンゼルス大会は文字通り画期的な大会となった。この大会でオリンピックは商業主義のかたまりと化し、いいかえればショービジネス化したのであった。結果として赤字に苦しんでいた直近の大会から脱し、実に2億5、000万ドルの黒字を計上したのである。具体的にはスポンサーを「一業種一社」に絞ることによりスポンサー料を吊り上げ、いささか邪道と思うが聖火ランナー走者から参加費を徴収して収入を増やし、黒字化を達成したのである。この後「オリンピックは儲かる」という認識が高まり、その後の大会への立候補都市の激増をまねき、過度の招致合戦による権限を持つIOC委員に対する接待や賄賂など、オリンピックに関係する内外の人物、組織の倫理的な問題が再々表面化するようになり、さらに政治家の不明朗な参入も見られるようになった。このロサンゼルスオリンピックを境に商業主義がオリンピックの本筋となってしまったのであった。

## ◆第2節　加速化する「プロ化」

ここでオリンピックにおけるアマチュアリズムとプロ化の問題に触れておこう。クーベルタンが近代オリンピックを再興した当時からオリンピックへの参加者はアマチュアに限られており、オリンピック憲章にもはっきりとアマチュアに限るとうたわれていた。アマチュアリズムの根底には「スポーツは貴族のもの」という階級主義が存在していたと見られるが、世界的に平等、反階級主義が広がっていく中でこの考え方は徐々に後退し、20世紀後半になると先進国においてはスポーツこそが万人の娯楽となり、人気スポーツのスター選手に資金が集まるのは当たり前の時代となり、また一方では社会主義国におけるステートアマの存在もあり、1974年にIOCは現実にそぐわなくなったアマチュア規定を憲章から除外した。しかしこのプロ容認までに至る道のりは長かった。

1952年から1972年まで20年間にわたりIOCの第5代会長を務めたブランデージ氏は、文字通りアマチュアリズム信奉の権化で、徹底的にアマチュアリズムにこだわった。些細なことでアマチュア資格を失い苦しんだ選手は数多くいた。例えばこれはブランデージ会長のもとではなかったが、1936年のベルリン大会で4種目にわたり金メダルを獲得したジェシー・オーエンスの悲劇は有名である。彼はオリンピック終了後、賞金稼ぎのレースに参加したことからアマチュア資格を取り消され、黒人差別のもとに屈辱的にも馬と競争をさせられたりしたのであった。

オリンピック憲章が改定された後、1980年代からオリンピックの商業化とプロ化が一気に加速し、現在のオリンピックは世界最高峰のプロが集結するはなばなしい祭典へと変わっていったのである。

一方我が国では、スポーツのプロ化は90年代まで進まなかった。しかし現在ではテレビのＣＭなどにオリンピックアスリートの登場しない日はない。メダルを獲得すれば競技団体から報奨金が支払われる。オリンピックではアマチュアという言葉はすでに死語となっている。

## ◆第3節　ドーピング問題

話は飛び飛びになるが、現在のオリンピックにおいて最大の問題はドーピング問題である。これは薬物を使用することにより運動能力や筋力を高める行為で、オリンピックはもとより各種のスポーツ大会、競馬など多くのイベントで禁止されている。一番有名なのは１９８８年のソウル大会における陸上１００メートル競走で、当時の世界記録を出して優勝したカナダのベン・ジョンソンがドーピング薬物が後に検出され失格となり、世界中に衝撃を与えたことを記憶している人は多いであろう。ドーピングは薬物の使用と検査がいたちごっこで未だに残念ながら根絶されていない。

現在のオリンピックではパラリンピックがかならず同時に催されるので、これに一言触れておこう。パラリンピックは、国際パラリンピック委員会が主催する身体障害者を対象とした世界的な障害者スポーツの総合競技大会である。オリンピックと同じ年に同じ会場で夏季、冬季の大会が開催されている。１９６０年に第１回の大会がローマで開催され現在に至っているが、障害者の大会が年々盛んになるのは大変結構なことであるが、ここにも商業化メダル獲得競争、はてはドーピングまで行われるようになっている。また、開催される種目も大会毎に増え、いささか首をかしげるようなものまで入ってきている。

話は前後するが、オリンピック競技の種目も大会毎に増加しており、中には除外すべきと思われるものもある。また競技内容もアクロバット的なものもあり、私は少し種目を整理すべきと思っている。

## ◆第4節　膨張するオリンピック開催経費

最後に今回7月に開催されることになっていた1964年以来の第2回目の東京オリンピックについて触れておこう。大会はコロナ騒ぎで来年7月に延期された。しかし来年はたしてコロナの問題がおさまり開催できるかどうか、今のところ全くわからない。

今回の2020年の東京五輪の費用は2017年5月、東京都の発表によると1兆3900億円。内訳は組織委員会が6、000億円、東京都が6、000億円、国が1、200億円、その他700億円である。また大会組織委員会が2019年12月に発表した最終の予算案は1兆3、500億円で、内訳は組織委員会6、030億円、東京都5、972億円、国の負担は1、500億円となっている。一方民間企業でも道路関係に4、000億円を出資するなど各民間企業による出資は活発になっており、オリンピックの招致による日本国内への経済効果は合計32兆3、000億円を超え、190万人の新規雇用が発生すると主張している。

東京オリンピックの開催費は膨張し続けてきた。招致段階でIOCに提出した大会経費は

7、340億円。計画が具体化するとともに資材の高騰などから会場建設費が大幅に増加し、組織委員会は前述の通り組織委員会、都、国の負担上限を1兆3、500億円としたのである。（予備費を除く）しかし、会計検査院は関連経費を含めれば開催費は3兆円を超えると指摘している。そこへもってきて延期に伴う3、000億円の経費増をどうするのか。IOCは今月14日に最大8億ドル（860億円）追加負担すると表明したらしいが、関係者の話ではその根拠を含め不明確ということである。

識者は「ここへ来て巨額の負担以上にそもそもオリンピックのあり方自体が問題」と主張する。1984年のロサンゼルス大会以降、前述の通りオリンピックは急速に商業化して勝利至上主義となり、ほんの一握りのスーパースター（例えばカール・ルイス）を生み出し、そこに企業やメディアが群がって「希望」や「夢」と叫びながら甘い汁を吸ってきた。そのビジネスモデルはすでに限界に達している。実際近年の開催経費は数兆円に達しており、IOC加盟の大半の国では負担できない。このためこれをカバーするため多額のテレビ放映権料（アメリカのNBCによる2014年のソチから2020年東京オリンピッックまでの間43億3、000万ドル（4、680億円）が支払われる契約）により賄われている。

聞くところによるとNBCは2032年まで新たに五輪放送権を76億5、000万ドル（7、800億円）で獲得したとの報もある。このNBCの契約のため北半球では猛暑の夏にしかオリンピックが開催できない。何故ならアメリカのスポーツのシーズン制に合わせ、例えばアメリカンフットボールとかバスケットボールとか、その時期が合う期間は開催できないのである。また競技の開催時間もこれにより制約を受けている。

## ■おわりに

さて我が国の1月～3月のGDPは、先日の発表によると年率3・4%のマイナスと、かつて経験したことのない落ち込みである。有力マスコミの報道では、GDPがコロナ以前までに回復するには4年かかるとしている。このような極限状況ではたしてオリンピック開催が妥当かよく考慮する必要がある。ここは先にも述べたように延期から一歩進み返上、中止ということになるのではないか。またオリンピックそのものが今後どうして行くべきか我々はここで立ち止まってよく考える必要がある。どうも現在の近代オリンピックはクーベルタンが考えたものとは別の方向に進みつつあるように思えて仕方がないのである。

第18話

原住民を制圧し戦争で勝ち取る

# 侵略国家アメリカの全貌

2020年7月31日

最近アメリカ政府は「中国は侵略国家である。すなわちチベット、モンゴルなどに侵略の手をのばし、さらにベトナム、インドなどとも国境紛争を起こし、南シナ海や東シナ海においても国際法を無視する行動に出ており、最近では台湾の併合にも武力行使をも辞さないと主張している」と非難している。しかし、それでは、かくいうアメリカ自身、この200年間どのようにして現在の52州にも及ぶ大国になったか考えてみたらどうであろう。

それは、英国から独立戦争によって勝ち取った13州が、最初には原住民であるインディアンを制圧して西へ西へと開拓と称してその勢力を拡張していった結果に加え、英国との戦争、フランスとの戦争、メキシコとの戦争、スペインとの戦争、ハワイの併合、そして太平洋を制圧し中国での権益を目指して、その結果日本との戦争を引き起こしたのであった。今回は中国を侵略国家であると非難するアメリカこそが、実はいかに侵略を繰り返して現在の姿になったかについて明らかにしたいと思う。

# 第一章　多民族国家アメリカの成り立ち

## ◆第1節　先住民はアジア系の人々

アメリカ合衆国は本土48州、それに北アメリカの北西部の角に位置するアラスカ州と、中部太平洋の島嶼群であるハワイ州を加えた50州と、太平洋とカリブ海に5つの海外領土および9つの無人の海外領土を保有しており、その総面積は985万平方メートルと世界第3位（4位だという人もいる）で領土の面積としてはほぼ中国、ブラジルに等しい。人口は3億2,700万人で世界第3位である。（アメリカは移民の国であるからその総数は絶えず増加している）

アメリカ大陸に最初に住んだのはアジア系の人々で、およそ3万年前から1万年前にかけてアジアから当時凍結して渡りやすかったベーリング海峡を越えて、シベリアからアラスカを経由してたどりついたのであろう。そしてその後数千年の間に中米から南米にたどりつき、広がっていったのである。これらアジア系の人々は母系社会を持つ独自の文化を持っていた。俗に先住民はアメリカインディアンといわれていたが、現在では「インディアン系アメリカ人」とか「先住アメリカ人」という表現が普通に用いられるようになっている。

さて、ヨーロッパ人がアメリカ大陸にやってくるようになったころ、中米や南米には1,000万人を超える住民がいたにもかかわらず、北米にはたった100万人を超える程度の人口と推定されていた。しかし近年の研究では300万人を超えるという説が有力になっている。

北米に住まいしていたアジア系の人々は、南米のインカ帝国やアステカ帝国のようなまとまった部族の統一体ではなく、言語でさえ50種類あまりもあったのである。しかし近世までは、北米には中南米に匹敵するインディアンの文明は存在していないとされてきたが、近年になって発掘が進み、8世紀から16世紀頃まで続いたとされる大規模なミシシッピ文化の存在が明らかになってきて、従来の見方は全面的に否定されている。

## ◆第2節　欧米列強の新大陸進出

そして、欧米列強の新大陸への進出が始まるのであるが、一番よく知られているのは1492年のコロンブスによる西インド諸島の発見、そして1498年には英国人ジョン・カボットが北米大陸の東海岸を探検し、英国の領土としてニューイングランド植民地を領有した。

一方フランスは、1534年にセントローレンス川を遡ってフランスの植民地、すなわちカナダ植民地を確立した。一方これらは勿論平和裡に行われたものではない。これら南北アメリカの探検開拓によりインディアンの領土略奪と虐殺が行われたのであった。南米におけるスペインのピサロによるインカ帝国征服は最もなげかわしい事件であった。現在のアメリカ合衆国における植民地活動としての「開発」は当初から民族国家となる運命を辿るように実施されていたのであった。

少し具体的に述べるとバージニアやカロライナにはイギリス人により、いわゆる「ニューイングランド」が建設され、ルイジアナにはフランス人が「フレンチ・ルイジアナ」植民地を開くなど、主にイギリス人とフランス人の二つの民族により行われてきたのであった。一方それだけではなくて、ニューヨークやニュージャージーにはオランダ人が「ニューネーデルラント」を、またデラウェアにはスウェーデン人が「ニュースウェーデン」を、スペイン人がフロリダに「ヌエバ・エスパーニャ」をと、彼らの思いつくままに今日のアメリカ合衆国の範囲に植民地を開いたのであった。

このようにアメリカの東部にはすでに17世紀半ばに現在のアメリカ文化に繋がるヨーロッパの文化が移植されていったのであった。勿論宗教の点において、当初の移民はカトリックが本流であったが、16世紀にルターによる宗教改革が行われ、プロテスタントが出現し、数々の宗教戦争が行われたのはご承知の通りである。この結果ピューリタン（清教徒）による1620年のメイフラワー号の移民が契機となり、新大陸へ新天地を求めて新教徒が多数入植したのであった。

## ◆第3節　アフリカ大陸からの黒人奴隷

ヨーロッパ人は植民地において砂糖やコーヒー、綿花、タバコなどの農園を作り出した。一方彼等は労働者の不足に悩まされることになる。このためインディアンの奴隷化が進むが、さらに、北米では南部の大規模なプランテーション農業が進んだのに対応して、また中南米においても北米の一部と同様にアフリカ大陸からの黒人奴隷が導入され労働力の主力になってくる。一方17世紀から18世紀にかけてヨーロッパ本国では英、仏両国の激突が繰り返された。すなわち先に述べた英国のニューイングランド植民地と仏国のカナダ植民地は鋭く対立した。この北米における植民地戦争は、1700年に本国において英国が7年戦争に勝利し、さらに北米の植民地においては、フレンチ・インディアン戦争が1763年まで続いた。さらに英国は次々とフランス、スペインの植民地を獲得し、さらにスペインの持っていた南部にまで広がるスペイン植民地への奴隷専売権を得るのである。

このように英国は北米大陸の大西洋岸をほぼ自らの手中に収め、大英帝国の礎を築き上げたのであった。一方原住民たるインディアン達は英仏どちらにつくか選択を強制され、結果として英仏の代理戦争を引受けさせられたのであったが、どっちが勝っても彼らの領土は没収され、部族は離散の運命におちいった。まさにインディアンの悲劇といってよい。北米東海岸を掌握した英国は、先住民インディアンを完全に駆逐して西方へと領土を拡大していった。この段階で13州の植民地が建設され、白人の人口が州によってはインディアンを上回る地域が生じたのであった。

# 第二章　アメリカ合衆国の誕生と孤立化

## ◆第1節　アメリカの独立戦争

18世紀に入ると、気候的に比較的農業に不向きであった北東部において、造船、運輸や醸造などの産業が急激に発達し、英国本国の経済を圧迫するようになる。元来植民地は新教徒が多数を占めていたため、イングランド国教会の本国とは何かと軋轢があった。そしてこのころには精神的にも本国との考え方の相違が顕著となってきて、経済的にも自立を目指すが、英国はかねてから種々の法律を設け植民地の工業発展を妨げ、また英国以外との独自貿易を禁じてきた。そしてこのころからさらに本国に有利な重商主義政策を敷くことによって、さらに植民地を圧迫した。またフランスとの長い戦争の必要戦費を捻出するため、植民地住民に対して重税を課した。その最たるものが貿易の独占のための「印紙税」であったが、住民達は反発して反課税と反「印紙法」の撤廃を主張し激しく対立した。この結果本国側は「印紙税」は撤廃するが、これに代わって茶の貿易を独占するため「茶法」を成立させた。憤激した住民は1773年ボストン港を襲撃して有名なボストン茶会事件を引き起こす。これに対して英国側もボストン港を閉鎖して強硬な姿勢を示すが、植民地側もフィラデルフィアに全米13州の代表を集めて会議を開き、英国に対して植民地の自治権を求めて反抗する。そして1775年4月英国の駐屯兵と住民有志による民兵が衝突して、アメリカ独立戦争が始まる。民兵側は、ジョージ・ワシントンを戦争の総司令官に任命して大陸軍を発足させ、独立戦争を遂行したのであった。

このアメリカ独立戦争は、フランス、スペインの軍事的な援助を受けたアメリカ軍優勢のまま推移する。またアメリカに有利であったのは、強国ロシアが中立を保ったことであった。このためさすがの英国も軍事的に孤立して次第に劣勢に追い込まれ、1781年のヨークタウンの戦いで英国軍が完敗すると、本国内でも独立容認の気運が生まれてきた。この結果1783年アメリカと英国との間でパリ条約が結ばれ、これによって大陸13州が独立をはたし、加えて英国よりミシシッピ川以東の英国領ルイジアナ植民地を獲得した。

さて13州の合衆国が誕生したものの、州毎に内外に対する政策は違い、いわば国家としての統一が果たされておらず不安なものがあった。そこで1787年にフィラデルフィアで憲法制定会議が開催され、ここで主権在民の共和制、三権（立法、司法、行政）分立の連邦制を定めたアメリカ合衆国憲法が制定され、ニューヨークを首都とするアメリカ合衆国が生まれたのであった。そして初代の大統領としてジョージ・ワシントンが就任する。さらに首都についてはその後フィラデルフィアに移されるが、国民からいろいろな批判が出て、結局現在のメリーランド州とバージニア州の州境に新首都が建設されることになり、1801年現在のポトマック川に面する新首都ワシントン市が誕生したのであった。

## ◆第2節　アメリカの精神的な自立と工業の発展を進めた米英戦争

その後ヨーロッパ大陸ではフランスにナポレオンが台頭するが、合衆国はナポレオンからミシシッピ川以西の広大なフランス領を買収した。しかしナポレオンはヨーロッパの覇権をめぐり英国と対立し、ルイジアナの買収後戦争状態となった。合衆国の生命線は農産物のヨーロッパへの輸出であり、これにより外貨を獲得していたから両国との良好な関係を保つよう努力していた。ところが英国は、フランス艦隊を１８０５年トラファルガーの海戦で全滅させた結果、フランスに対して海上封鎖を実施し、さらにアメリカに対してもその貿易政策に対し海上封鎖を実施した。当初アメリカは、英国はアメリカ以外の他国から農産物を買えないであろうと思っていたため英国の海上封鎖の解除を狙い、外国との貿易を停止した。ところがアメリカの目論見ははずれ、英国は他国からの農産物輸入を実施してしまう。これによりアメリカの経済は大打撃を受けた。そして１８１２年、英国がミシシッピ川西部とカナダの先住民を支援していることを口実として、南部と西部の議員が中心となり英国に対して宣戦布告し、ここに米英戦争が開始される。南部と西部へ入植した白人達は、インディアンの土地を得ることと農産物の輸出拡大に期待していたためこの戦争を積極的に応援した。しかし、反対に北部の折角英国からの独立をはたした連邦主義者ともいえる人達は、英国と事を改めてかまえることには消極的であった。しかし緒戦ではアメリカ軍は勝利を重ね、反戦論は霞んでいくが、英国軍は陣営を立て直して徐々に英国有利の展開となり、１８１５年にアメリカ側が形勢不利の中で停戦となった。この結果、米英の領土は戦前に戻された。

この戦争によりアメリカはヨーロッパとの関係が途絶え、経済的また文化的にも孤立したのであったが、かえってこれがアメリカ人にとって「ヨーロッパ何するものぞ」という精神が芽生え、アメリカ人の精神的な自立と自国内の工業の発展が進むことになった。

## ◆第3節　アメリカ大陸の孤立化と先住民の掃討

一方ラテンアメリカにおいて独立運動が盛んになると、当時のモンロー大統領は、ヨーロッパとアメリカ大陸の相互不干渉をうたったモンロー宣言を発表して、これが後にモンロー主義といわれるアメリカ大陸の孤立化（アメリカ合衆国の孤立主義）をうたったもので、以後100年続く合衆国の基本外交方針となった。このモンロー主義はいい換えれば「アメリカ大陸はアメリカ合衆国の縄張りである」という宣言であり、これにのっとり、1890年の「フロンティア消滅宣言」のころまでアメリカは国内でインディアンの土地の取り上げを目的とした「アメリカ合衆国内の先住民の掃討」を遂行した。アメリカはこのように先住民の掃討が完了した1890年ごろ以降、太平洋やラテンアメリカへの政治的、軍事的介入を展開していく。

話は前後するが、1830年代、時の大統領ジャクソンは「インディアンは白人とは共存し得ない。野蛮人で劣等民族のインディアンはすべて滅ぼされるべきである」と唱え、これはミシシッピ州以東の大多数のインディアンを強制的に移住させ白人社会に同化させ、またこれに従わない部族は絶滅させるという民族浄化政策であった。

現在中国で行われているウィグル、チベット、モンゴルその他少数民族に対する弾圧と軌を一つにしたもので、人権、人権と今になってアメリカ人が騒ぐのは如何なものかと思う。しかし、植民地における原住民に対する過酷な弾圧は世界中いずこを取っても同じである。戦前、戦時中の日本の植民地経営が過酷であったという向きも多いが、ラテンアメリカにおけるスペインの植民地経営、アメリカのインディアン殲滅、英国のインド、南アフリカ経営、オランダのインドネシア経営、英国のアヘンを使った中国侵略などの史実を知ると、その度合いは較べものにならないのである。

# 第三章　アメリカ大陸の中の自国領土の拡大

## ◆第1節　隣接する土地を次々と獲得

さて話はアメリカに戻るが、インディアンを徹底的に弾圧したジャクソン大統領の時代アメリカも産業革命を迎え、鉄道、航路が発達し国内市場が拡大した。1850年代までに北東部を中心に重工業化が進み、労働者が大量に暮らす大都市圏が登場、それと同時に企業経営者や企業に出資する資本家が台頭して資本主義社会が形成されたのであった。

米英戦争によってヨーロッパ政治への介入に懲りたアメリカは、専ら自国の領土拡大に方針転換する。すなわち、英国とは旧仏領ルイジアナの一部と英領カナダの一部を交換、スペインからは1819年フロリダを購入した。一方米英戦争の直後から元々仏領であったルイジアナへの移住を進め、さらに1840年ごろから太平洋岸の新天地オレゴンを目指すようになった。1845年にはメキシコから独立していたテキサスを併合し、先に述べたインディアンが居住するオレゴンは、1846年アメリカに併合された。さらに同年メキシコとの間で戦争を起こして（米墨戦争）勝利してニューメキシコとカリフォルニアを獲得、10年後にはメキシコの北部を買収した。

前記のテキサス併合も当時国力が弱体化していたメキシコの弱みにつけ込み、多くのアメリカからの不法移民に占領されていたテキサスを力ずくで合併したといってよい。そして旧メキシコ領カリフォルニアで1848年に金鉱脈が発見されるといわゆるゴールドラッシュが起こり、一攫千金を狙った多くの白人が移住した。このため原住民のインディアンはこの時絶滅の憂き目にあった。

インディアンを虐殺してその土地を奪い、メキシコと事をかまえてその広大な領土を獲得して西へ西へと発展の一途をたどったアメリカは、自国大陸の中ではその目的をはたしたのがこの時期1850年ごろであった。そして次に彼等が目指したのは、当時多くの西ヨーロッパ列強の植民地であった東南アジアには手が出せなかったため、まだ西欧諸国の勢力が及んでいなかった東アジアに積極的かつ強圧的な外交を展開し始める。すなわち1800年代初めから大清帝国や李朝朝鮮に急接近し、1853年には日本に開国を迫り開国させることに成功する。

## ◆第2節　南北戦争で外交は一時停滞

しかし時を同じくして起こった南北戦争によって、アメリカの東アジア外交は一時滞ることになる。南北戦争の詳細のついては今回進めている話には大きな関係を持たないが、ざっとそのあらましを述べておくと、1860年に大統領となった共和党のエイブラハム・リンカーンは、黒人奴隷解放を政策として北部の資本家から支持を得ていた。一方南部の奴隷州は大反発してアメリカ連合国（南部連合）を結成して離反したのであった。当然合衆国としてはこれを許すはずはなく、ここに南北戦争という形で火を噴いたのであった。当初は南軍有利の形で戦争は進んだが、北軍は海上封鎖などで対抗し、1863年にリンカーンが奴隷解放宣言を行うと急速に北軍への支持が拡大して、有名なゲディスバーグの戦いで北軍が勝利すると南軍の力は弱まり、1865年南部連合は降服してアメリカは再び統一された。

## ◆第3節　大陸横断鉄道の建設とインディアン弾圧

このように領土は、大西洋から太平洋へと大きく拡張したのであったが、何といってもアメリカの国土は広い。当時の交通は馬車か船舶で、馬車で大陸を横断するには半年を要し、船舶は当然南米大陸の突端を経由するため4か月を要した。このため西部の開発は遅れに遅れ、北部との途絶が目立った。まして南部と北部の関係は南北戦争後も完全な融和には程遠く、リンカーンは大統領就任当時から大陸横断鉄道の建設を進めていた。しかし、この鉄道の建設は困難をきわめた。すなわち、この建設には多大な労働力を要し、当時西側に入ってきていた中国からの移民、東部の食いつめた白人、さらに現地インディアンが駆り出されたが、それらの融和が難しかったからである。しかし政府は軍隊まで動員し鉄道建設を進め、1869年には何とかこの横断鉄道を完成した。これにより北部、南部、東部の一体化がようやくなされ、アメリカは実質的に一つの国土となったのであった。

しかし、その裏でインディアンに対する弾圧は徹底的に行われた。その方法の一つが彼等の食糧であるバッファローの皆殺しであった。このように鉄道の開通により膨大な人口が西部へ移入した。太平洋岸に達したアメリカの領土であるが、さらに1868年には北部アラスカをロシア帝国から安値で買い叩き入手する。このため移入人口がさらに増加したため、急速に生活圏を侵食されたインディアンは1860年代から70年代にかけて各部族が一斉蜂起し、ここに20年以上に及ぶインディアン戦争が勃発する。しかし現実は厳しくインディアン蜂起は次々と鎮圧され、最終的にはインディアン社会は根本から破壊され彼等の土地はほとんどが白人農業者の所有するところとなった。そうして合衆国は、インディアン部族は独立国家とみなさないとしてインディアンの同化政策を進めたのであった。

# 第四章　帝国主義国家アメリカの海外進出

## ◆第1節　ハワイの併合

こうして西部開拓時代は終わり、アメリカ人は次の目標を海外に求めていくのである。彼等の目は先ずラテンアメリカに向けられていったが、先に述べたモンロー主義によるアメリカ合衆国の外交政策は引き続き継承され、植民地獲得には消極的であったがドルを振り回すドル外交により経済的な進出に力を入れていった。

次にアメリカ人は一斉に太平洋の島々へ移住していった。1898年に彼等はハワイを併合した。ハワイは王国で、1839年には憲法を制定して独立した立憲君主国であった。しかし1820年代に入ってからイングランドの宣教師や捕鯨業者、商人が入り込み、その一方でアメリカ人が次第に砂糖やパイナップル事業に進出して、1890年ごろには事実上ハワイを政治的にもまた経済的にも支配するようになった。一方「ハワイ人のためのハワイ」

を主張するリリウオカラニ女王に対し、アメリカ人入植者はアメリカ海軍の援助を得て革命を起こし、新政府を組織するが本国ではこれを認めなかった。しかしハワイ王国に同情的であったクリーブランド大統領にかわり、1897年マッキンリー大統領が登場すると局面は変わり、ハワイ併合が推進されるようになり、1898年8月ハワイはアメリカ領となる。

## ◆第2節　キューバを実質的に支配

1898年キューバを巡るアメリカとスペインとの間で戦争が起こる。これはアメリカ帝国主義のまさに典型的な政策であった。これによりアメリカはキューバを実質的に支配下におさめ、明確に帝国主義国家への転換を明らかにしたものであった。一方この戦争により、スペインの植民地帝国の時代が完全に終わったことを意味して、いわば世界史にエポックをきざんだものであった。

この戦争の発端は、1895年に起こった第二次キューバ独立戦争にある。すなわちコロンブス以来のスペインの砂糖プランテーションを中心とするキューバ経営は、奴隷制度を含めて極めて厳しいものがあった。これに反抗して独立戦争が始まるのであるが、スペインの弾圧は依然として続き、一方キューバの砂糖資源に投資を行っていたアメリカはこれを失うことを懸念して、1898年2月アメリカ軍艦メイン号の爆沈に乗じて同年4月、スペインに宣戦して米西戦争が始まったのであった。アメリカ海軍はラテンアメリカの各地、さらに太平洋のフィリピン、グァムなどのスペイン植民地を攻撃して、スペイン軍との戦闘の結果わずか4か月でアメリカが勝利したのであった。

同年12月両国の講和が成立し、その結果キューバの独立が承認されたのであったが、アメリカはフィリピン、プエルトリコ、グァムを領有した。またキューバは保護国となった。このことによって、アメリカは海外に植民地を持つ世界の強国の仲間入りをした。

もう一つ時々新聞を賑わすが、アメリカがキューバに上陸した地点を米西戦争終結後も永久租借地として、カストロによる社会主義革命後もアメリカは返還せず租借し続けている。これこそ悪名高きグァンタナモ海軍基地である。

## ◆第3節　フィリピンの植民地支配とマッカーサー一家

米西戦争によってアメリカは最も価値の高いものを手にした。それはフィリピンの植民地支配である。1898年5月、アメリカ海軍はマニラ湾のスペイン艦隊を一夜にして全滅させ世界を驚かせた。しかし、陸上に拠点を持たなかったためフィリピン独立派を利用することを考える。すなわち海外に亡命していた独立運動の指導者アギナルドを亡命先から呼び戻し、「独立」を餌に陸上戦に従事させる。しかし陸上戦においてアメリカに協力して戦ったフィリピンの独立派アギナルドは、戦後アメリカに見事に裏切られフィリピンの独立は認められず、フィリピンはアメリカの植民地となった。アメリカは当地を足場に長年の夢である中国への進出を図る拠点を得ることになる。

さて、もともとキューバを巡る争いが発端であった戦争が、フィリピンを舞台に戦われたのであるが、これは何とかして東アジアにアメリカの足場を築きたいという、長年にわたるアメリカの悲願の実現であったからである。アメリカはカリフォルニアからマニラを結ぶ「太平洋の架け橋」を誕生させたのであった。太平洋戦争後連合国最高司令官として君臨したダグラス・マッカーサーはフィリピンとの深いつながりを持っている。すなわち彼の父アーサー・マッカーサーは南北戦争に従軍したたたき上げの軍人であるが、一時除隊したがその後は軍隊に戻り昇進する。１８９８年米西戦争が始まると、准将となっていた彼はフィリピンに出征して、この時からマッカーサー一家とフィリピンとの深い縁が始まる。フィリピンがアメリカの植民地となると、少将で師団長となっていた彼はその後米比戦争で活躍し、在フィリピンのアメリカ軍司令官となる。その二男がダグラス・マッカーサーで、マッカーサー一家はフィリピンに多くの権益ならびに資産を保有していたとされている。父は事実上のフィリピン総督であった。米西戦争に勝利したアメリカは、上記のように現在の北米、太平洋圏におけるアメリカ領土を確立したのであるが、さらに１８９９年から１９１３年にかけてフィリピンを侵略し、米比戦争といわれるこの戦いの中で、数十万人のフィリピン人を虐殺して独立運動の息の根を止めた。

## ◆第４節　中国権益の日米対決が太平洋戦争へと繋がる

さらにアメリカはアジアへの野心を隠さず、「門戸開放」「機会均等」「領土保全」の三原則を掲げ、中国への進出を虎視眈々と狙っていた。

最初に清国に手を出したのは１９００年に起きた義和団事件鎮圧で、連合国の一員として出兵したのであった。アメリカは日露戦争において日本が善戦したのを見て、１９０５年ルーズベルト大統領はその調停役を買って出て、日本に恩を売る。日本は１８９４年〜１８９５

年の日清戦争に完勝して、途中で三国干渉はあったが朝鮮を保護国とし後に併合する。日本が日清戦争を起こしたのはロシアの南下策に対抗するものであったが、朝鮮併合後もロシアの圧迫は強まり、ついに1905年ロシアと戦端を開き、満州を主戦場とする日露戦争が開始された。世界一の陸軍国ロシアへの挑戦は無謀とも思われたが、予想に反して日本陸軍は善戦して陸軍は五分の戦いを展開し、一方海軍はロシア極東艦隊を撃滅した上、極東に遠征してきたバルチック艦隊を日本海において全滅させたため、ロシア側からも講和の気運が出て前出のようなアメリカの仲介もあり停戦講和となった。しかし日本陸軍にはすでに余力がなく事実上は引き分けであった。しかし曲がりなりにも大国ロシアを破ったということで日本の評価は上がった。この戦争により日本は満州に大きな権益を獲得したのであったが、そこは前々からアメリカが狙いを付けていた地域でもあった。ここでアメリカの帝国主義政策に日本は真っ向から立ち塞がることになる。この結果が日米両国が対決する太平洋戦争へと繋がっていくのである。アメリカは日本を破るが、極東における権益を今に至るも確保することはできなかった。結局アメリカは、日本を叩き蒋介石の国民党政権に肩入れしたが、中国が共産化するのにわざわざ結果として手を貸したことになり、今や大国共産主義中国の擡頭に悩まされているのである。

## ■おわりに

以上、アメリカは建国以来きれい事だけで大国になったのではなく、本質的にはあくまで自己中心の帝国主義国家で、その歴史に大きな汚点をいくつも持ちながら現在があることを忘れてはいけない。

第19話

国際諜報団（ラムゼイ機関）

# ゾルゲ事件（ゾルゲと尾崎秀実）

2020年9月30日

ゾルゲ事件とは、ドイツ人リヒアルト・ゾルゲと元朝日新聞社員尾崎秀実を中心とする国際諜報団（ラムゼイ機関）による第二次世界大戦前夜の日本の政治、外交、軍事等の情報を、ソ連共産党（コミンテルン）に通報していた極めて大がかりなスパイ事件であった。近代史をほとんど教えない現在の学校教育の下で育った人達は、ほとんどこの事件のことを知らないのではないかと思う。かくいう私も1937年（昭和12年）生まれで第二次大戦の実際について知っている最後の世代であるが、実際の教育は戦後の新しい占領軍の指示による教育を受けたわけで、それほど近代史を学校で受けていないので、このゾルゲ事件についても詳しく教わった記憶は全くない。

ただ、私の小学校高学年の際、担任であった常深さんという先生が大変な読書家で、自分が読んで印象に残った本の概要をやさしく生徒に話してくれた。

1948年、1949年頃、すなわち朝鮮戦争が始まる前頃は、戦時中の国家による文化に対する締め付けから解放された時代で、検閲がなくなった反動で出版業界は活況を呈し、自由な出版が次々と行われたのであった。当時は勿論テレビではなく、書籍と映画が自由を謳歌した時代で、出版においてベストセラーという言葉が生まれたのもこの時代である。

小学生にしてはいささか早熟で夏目漱石、森鴎外などをかじっていた私ではあったが、当時のベストセラーにまで目が届くはずはなかった。しかし常深先生はいろいろな本に目を通していて、自分が読んで感激した書籍の内容と感想を話してくれた。それは何冊かに及んでいたが、私は尾崎秀実の「愛情はふる星のごとく」と藤原ていの「流れる星は生きている」の内容が頭にこびりついている。常深先生の話し方もうまかったのであるが、歴史についてそのころから大変興味を持っていた私は、この本の内容を聞いたおかげで「ゾルゲ事件」の存在を知り、それ以来このスパイ事件について興味をもつようになり、中、高、大学へと進む内にこの事件に関係する本をよく読むようになった。

# 第一章　事件の概要

## ◆第1節　主役は二人

ゾルゲ事件の主役は、何といってもロシア生まれのドイツ人リヒアルト・ゾルゲと尾崎秀実の二人である。この事件について書かれた本は海外で書かれたものの翻訳を入れれば優に50冊以上はあると思われる。この稿を起こすにあたって、その全てに目を通すわけにもいかず、私の力の及ぶ範囲でこの事件について勉強したのであったが、事件の余りにも大きな広がりを感じて、とても私のような微力なものには手に余るのではないかと思い、今回はやめておこうかと一時考えたこともあった。しかし乗りかかった船であるからと気を取り直し、何とか取り組んでみた次第である。

先ほども触れたように主人公はゾルゲと尾崎の二人である。しかし、この事件を吟味して行くと、ゾルゲと尾崎にははっきりとした違いがある。二人は共産主義の信奉者であったが、この二人にはその生き方にははっきりとした違いがある。ゾルゲは自己の主義主張の母国共産主義ロシア（ソ連）に忠誠を尽くすため諜報活動を行ったが、尾崎の場合はもっと複雑である。尾崎は「自分は共産主義者であるが共産党員ではない」といっているし、彼が諜報活動に走ったのはソ連に共感してソ連の安泰を図ることが第一であったのかもしれないが、矢張り彼は共産主義者といえども愛国者であった。何とか泥沼におちいった中国との戦争を回避させるためにゾルゲに協力したのであった。

ここであらためてゾルゲ事件の概要を述べておきたい。この事件は、ロシア生まれのドイツ人リヒアルト・ゾルゲが１９３３年（昭和８年）９月にフランクフルター・ツァイトゥング紙の日本特派員として来日し、これ以後８年余にわたって当時の近衛内閣のブレーンの一人であった元朝日新聞記者尾崎秀実他の協力を得て、日本とドイツの政治、経済および軍事に関する最高機密情報を入手し、ソ連に通報して１９４１年（昭和16年）10月に検挙され、そして３年後の１９４４年（昭和19年）11月尾崎と共に処刑された事件である。

## ◆第２節　首謀者リヒアルト・ゾルゲの生涯

リヒアルト・ゾルゲは１８９５年ロシアのカスピ海沿岸の都市、バクーの近郊で、ドイツ人の石油技師を父として生まれた。母親はロシア人であったがバクーの有力者の娘であった。その後、一家は帰国してベルリン郊外に移住したが、彼の高校在学中に第一次世界大戦が勃発し、ゾルゲはこの大戦に３度出征して３度重傷を負っている。その間高校卒業資格を得た後、１９１６年にベルリン大学に入学するが、３度目の負傷を受けた頃から反戦主義者となり、特に入院中に社会主義者の医師や看護師の影響を強く受け、マルクス主義に関する文献を渉猟するようになり、共産主義の信奉者となった。この間１９２０年にベルリン大学を卒業し、さらにハンブルク大学で政治学博士の学位を取得している。その後大学の助手をつとめながら共産党の活動に参加して、１９２４年に開催された非合法共産主義大会で、ソ連から派遣されたコミンテルン委員と親しくなり、コミンテルン（１９１９年から43年まで存在した国際共産主義運動の指導組織）行きを勧誘され、ソ連を訪問する。そして１９２５

年にコミンテルンの情報局員となった。そして同年正式にソ連共産党員となった。その後は１９２９年までイギリスやスカンジナビアの諸国で共産主義活動に従事し、その年コミンテルンからソ連の赤軍第４本部（ＧＲＵ）に移る。彼の諜報団は、世間一般からコミンテルン所属といわれているが、実際にはソ連赤軍第４本部の直属となったことは注意すべきことである。赤軍第４本部に移った後、彼は偽装のためベルリンに帰ってドイツの雑誌社ゾチオロギシュ、マガジン社の特派員となり、中国へ派遣されるのである。その後の３年間は諜報機関を組織して、主として上海を舞台として活動し、ここでアメリカ人の新聞記者アグネス・スメドレーを通じて朝日新聞記者尾崎秀実と知り合う。１９３３年モスクワに帰り、同年日本に派遣されることになる。そこで偽装のため再度ベルリンに戻り、フランクフルター・ツァイトゥング紙と、他にオランダの１社と特派員として契約する。また一方では念には念を入れ、ナチス党に入党を申請して（正式入党は来日後）同年（１９３３年）９月に東京に現れる。以後約８年間にわたって１９３５年に１度モスクワに帰国しているが、ラムゼイ機関といわれる諜報団を組織して、自身は大使を始めとするドイツ大使館員の絶大な信用獲得を基盤にドイツ大使館を中心に、また尾崎らの協力を得て、日本とドイツの政治、経済、軍事上の機密情報を次々と入手してソ連に送り付け、ソ連の存在に大きく貢献したのであったが、１９４１年10月に検挙され諜報団は壊滅した。

## ◆第３節　国家機密情報を流し続けた尾崎秀実

一方尾崎秀実の出自については秀実の異母弟、秀樹による「ゾルゲ事件」に詳しく書かれているが、岐阜県出身で、先祖は楠木正成につながる一党であるが、父親の秀眞は漢学者であった。1901年（明治34年）に東京で出生、父が台湾の台湾日日新報の編集者であったため、幼少年期の18年間を台湾で過ごす。この時代に一家は台湾総督府のトップであった民生長官の後藤新平と深いつながりができて、後年彼が朝日新聞に入社したのも後藤の口利きといわれている。彼は一高から東大法学部に入学、卒業するが意外にも高等文官試験に失敗し、やむなく大学院へ進むが、大学院在籍中東大新人会などで共産主義思想の洗礼を受けたと思われる。その後朝日新聞社に入り、1928年（昭和3年）に大阪朝日の特派員として上海に派遣される。1930年（昭和5年）アメリカ共産党員の鬼頭銀一および前出のアグネス・スメドレーの紹介でゾルゲと知り合い、思想的に共鳴してその活動に協力するようになる。1932年（昭和7年）に帰国して大阪朝日に復帰する。そしてその2年後、来日していたゾルゲと再会して旧交をあたためゾルゲのラムゼイ機関のメンバーとして彼に情報を与えることを承諾したのであった。

1936年（昭和11年）アメリカのヨセミテで開催された太平洋問題第6回会議の日本代表の一員として参加した尾崎は、ここで元老西園寺公望の孫である公一と知り合い、また犬養健とも親しくなる。その関係で近衛文麿、風見章（後の近衛内閣書記官長）に接近して、また近衛の政策研究団体であった昭和研究会に入る。さらに1938年（昭和13年）には第一次近衛内閣の嘱託となり、近衛率いる新体制運動に参画することとなった。そして近衛のブレーンスタッフの集まりである朝飯会（後に水曜会）の主要メンバーとして活躍、翌年近衛内閣が総辞職した後は我が国で最も情報の集まる満鉄の嘱託となり、この間中国問題の専門家として論壇において華々しく活躍する一方、近衛グループから集めた情報をゾルゲに流し続けたとされている。

## ◆第４節　ラムゼイ機関の主要メンバー

さて、ここでゾルゲ、尾崎以外の主要なメンバーについて触れておく。

①ブランコ・ヴーケリッチ

彼は１９０４年クロアチアの陸軍上級将校の家庭に生まれるが、１９２２年ザグレブ大学に入学し、マルクス主義研究会に入る。そして当局から要注意人物とマークされ、その後大学を中退した後フランスに赴きソルボンヌ大学に入るが、そこでも革命運動を指導し卒業後１９３１年に帰国して軍隊に入るが除隊後パリに戻り、そこでソ連の諜報組織に入り、その指令によりフランスの週刊誌およびユーゴの日刊紙の記者として、体操教師であった妻と共に１９３３年横浜に上陸した。（これはゾルゲが来日する半年前であった）以後在日のフランス、イギリス、アメリカ各大使館に積極的に出入りして重要な情報を入手してゾルゲに流し続けたが、１９４１年検挙され、１９４４年終身刑の判決を受けるが翌１９４５年終戦を待たず網走の刑務所で死亡する。

②宮城与徳

彼は主要メンバーの一人で、ゾルゲが英語のできる助手がほしいということでアメリカ共産党から派遣された人物である。１９０３年（明治36年）沖縄に生まれるが師範学校を中退して、先に渡米していた両親のもとに行き、画才を生かしてロスアンゼルスの美術学校、サンディエゴの美術学校に学ぶが、徐々に無政府主義思想を抱くようになり、共産主義に傾いていく。１９３３年にはアメリカ共産党員となり、ゾルゲ事件が明るみになるきっかけをつくった北林トモとの付き合いができたのもこの頃のことである。１９３３年党の指令で来日して、ラムゼイ機関の一員となる。また得意の画業を生かして日本軍人を描いて軍の機密を聞き出したり、アメリカ時代の仲間の協力を得たりして情報を入手しゾルゲに流していた。１９４１年10月に検挙され、１９４３年判決の出る直前獄中で病死する。

③マックス・クラウゼン

１８９９年ドイツのノーハムに生まれるが、元々は蹄鉄工で下層の出身である。蹄鉄工をしながら夜間高校を卒業して１９１８年第一次世界大戦中に通信隊に入り、無線通信技術を習得するが、除隊後はハンブルクで水夫になる。元々共産主義思想の持主であった彼は、１９２７年ドイツ共産党に入党し党員の細胞として活発な活動を行うが、翌１９２８年コミンテルンから誘いを受けて訪ソし、同年赤軍第４本部から情報機関の無線係として上海に派遣され、その後１９３５年（昭和10年）東京行を命ぜられ同年12月に横浜に上陸した。彼は直ちに上京してゾルゲと会い、ラムゼイ機関のメンバーとなる。１９３６年に無線機の組み立てを完了して発信を開始し、１９４１年10月に検挙されるまでゾルゲの情報を発信していた。日本の当局も東京の空を飛び交う彼の発する怪電波には早くから注目していたが、マックス・クラウゼンはたくみにその裏をかき、ついに逮捕されるまでしっぽをつかまえさせなかった。マックスの妻はアンナといい、来日後は機関の伝書使としてたびたび上海に派遣され、官憲の目をくぐりゾルゲの情報をソ連に伝達していた。１９４１年10月にマックス、11

月にアンナがそれぞれ逮捕され終身刑、懲役3年の判決を受けたが終戦により1945年10月夫婦共に釈放された。ゾルゲ事件のヨーロッパ人の被告で生き長らえたのはこの両名にすぎない。

# 第二章　事件発覚の経緯

## ◆第1節　重大なミス

しかしゾルゲ、尾崎の活動については捜査当局もゾルゲはドイツ大使館との深いつながり、尾崎には近衛との関係からなかなか捜査の手を伸ばすには至らなかった。しかし、日米関係がこじれ始めた1940年（昭和15年）頃から、日本の外事警察は特高と協力してアメリカ帰りの共産主義者のリストをつくり、その行動を内偵するようになったが、これは元々対英米スパイ活動を防ぐのが目的であった。そのリストの中に北林トモおよび宮城与徳が入っており、当局の捜査線に浮かんでいた。しかしそれまではただ監視の域を出なかった宮城の身辺と交友関係が徹底的に洗われるようになるのは、尾崎の後輩である戦後もいろいろと物議をかもした伊藤律の自供によって北林トモが検挙されてからである。

ゾルゲ、尾崎、宮城らに対して日本の官憲が疑惑を持ち秘密裡に彼等を監視してきたが確証を得ることができなかった。特にゾルゲにはドイツ大使館が、尾崎には近衛側近という有利な防壁があって、警察当局としても軽々には立ち入って調べることもできず、また宮城にしてもアメリカ共産党員というだけで逮捕するわけにはいかなかった。

また怪電波の正体についても見破ることができず、ラムゼイ機関は警察に挙げられる決定的な証拠を押さえられることのない状況にあったのである。しかし彼等はたった一つの重大なミスを犯していた。そのミスさえなければ無事に仕事を終えて解散し、国外への退去ができたかもしれなかった。そのミスとは、宮城と左翼運動家とのつながりであった。ゾルゲ自身は、日本の共産党員をはじめとする左翼の活動家を仲間には絶対に入れなかった。ゾルゲは尾崎に対しても日本の官憲は必ず彼等を次々と狙うことを知っていたので、彼等との接触を厳に禁止していた。

宮城には昔からの仲間であった北林トモに情報をとらせていたのはゾルゲの最大のミスといわれている。とにかくここから破綻をきたしたのであった。ラムゼイ機関にカタストロフをもたらしたのが前出の伊藤律であった。伊藤は尾崎と同郷で一高の後輩に当たり、尾崎の家にも足しげく出入りし、尾崎は、自分が満鉄に移ってからも論文の代筆をさせるなどまるで自分の片腕のように可愛がっていた。１９３９年（昭和14年）11月共産党再建運動にのめり込んでいた伊藤は警察に検挙され、党再建について厳しく追及される。伊藤はおそらく当局の心証を良くしたいという考えから、かねてから知り合っていた北林トモを密告したといわれている。この密告がきっかけとなり組織が次第に明らかになっていった。もっとも伊藤は、北林がゾルゲとつながっているスパイであることを全く知らなかった。したがって伊藤の密告は結果的に尾崎を裏切ったわけで、伊藤は北林のことを喋った後仮釈放され満鉄に復帰して尾崎と一層親しくなり、その頃から満鉄と尾崎に対する特高の監視が厳しくなったことから、伊藤は特高のスパイで組織の存在を知っていたのではないかとの説もある。

## ◆第2節　ラムゼイ機関の壊滅

さて、従来から元アメリカ共産党員として調査の対象にすぎなかった北林に対する当局の捜査が、ある時点から急激に厳しくなり、ついに１９４１年（昭和16年）９月28日に検挙されるに至ったのは、矢張り何か大きな理由があったに違いない。このように郷里の和歌山県で逮捕された北林トモは東京へ護送され、激しく追及される。彼女が取り調べを受けたのが六本木署であったが、ここは偶然にも一味の宮城のアジトに近かったため、北林は宮城も検挙されたものと早合点し、不用意にも宮城の名前を洩らしてしまう。そのため10月10日に宮城が検挙され、その自白により同15日に尾崎が、18日にゾルゲ、クラウゼン、ヴーケリッチの３名が相次いで逮捕され、ラムゼイ機関は完全に壊滅した。

１９４３年（昭和18年）東京地裁においてゾルゲ、尾崎に死刑、マックス・クラウゼンとヴーケリッチに無期懲役、アンナ・クラウゼンに懲役３年の判決が下った。なお宮城は判決の１か月前に拘置所内で病死、また北林トモ、川合貞吉他組織に協力したものも次々と検挙され、それぞれ2年から15年にわたる懲役刑となった。注目された西園寺公一は尾崎に情報を洩らしたとして執行猶予３年付きの懲役2年の判決を受け、犬養健は無罪であった。ゾルゲと尾崎は１９４４年（昭和19年）11月７日処刑され、ヴーケリッチはその翌年網走刑務所で獄死した。クラウゼン夫妻ら終戦まで生き延びた者達は１９４５年（昭和20年）10月に全員釈放された。

# 第三章　ラムゼイ機関の活動とその成果

## ◆第1節　ゾルゲの任務

さて8年余にわたるラムゼイ機関の活動がいかに見事な成果を上げたかについては尋問中のゾルゲの言葉「もはや日本から盗むべき機密はない」につきている。1933年に日本に派遣されたゾルゲの任務は「満州事変以後の日本の対ソ政策を観察して対ソ攻撃計画がどのように動くかを綿密に研究し、それを報告する」ことであった。具体的にはソ連攻撃のおそれのある日本陸軍（関東軍）と航空部隊の状況、さらにヒットラーの政権獲得後の日独関係、日本の中国対策、対米英関係、さらには日本の対外決定に果たす軍部の役割と戦時経済の動向などがゾルゲの研究、情報収集の対象であった。

ソ連が一番関心を持っていたのは1931年以降1935年にかけて続いた日本の満州攻略がその後どうなるかであった。すなわちソ連はかねてから保持していた満州の東支鉄道の権益にからみ日本の北進には重大な関心を抱いていた。この時期、ゾルゲは尾崎や宮城の報告、あるいは駐日ドイツ大使から得た報告をもとに日本の対ソ政策を分析して1935年の時点で日本はソ連を攻撃対象とする北進政策よりも中国問題に傾注していることをモスクワに報告している。

## ◆第2節　ラムゼイ機関の成果

ゾルゲがその名を上げたのは1936年（昭和11年）2月に起こった2・26事件の時であった。ゾルゲはこの時ドイツ大使館の駐在武官オットー（後に大使）から日本の陸海軍の情報を得たうえ、さらに尾崎、宮城からも詳しいデータを得て他国の大使館よりすぐれた見解を述べたのであった。そしてこの時の情報をまとめて「東京における軍隊の叛乱」と題してドイツの雑誌に投稿し、これがモスクワでプラウダに転載され、ゾルゲのもたらす情報の正確さが認められるようになった。さらに同年11月に締結された「日独防共協定」についてはドイツ大使館の有力筋から事前に内容をつかみ、ドイツは軍事同盟を希望していたが、日本はソ連と事を構えることを欲せず防共協定に終わった事情を正確にモスクワに報告している。

1937年（昭和12年）7月、日華事変が起こると、日本の対華工作や日本軍の動員状況についての情報や日本が華北問題の解決をあせり、早期解決に失敗して戦争は全面的に拡大するという尾崎の見解をモスクワに報告していた。

1939年（昭和14年）夏、ノモンハン事件が起こった。世間一般では日ソの全面戦争に発展するのではないかと危惧するものが多かったが、ゾルゲは関東軍の対ソ開戦論に対して軍中央部はブレーキをかけていることを尾崎、宮城からキャッチして日本政府はこの事件を本格的な戦争に発展させる計画のないことをモスクワに打電している。同じ年8月、突然「独ソ不可侵条約」が締結されるが、ゾルゲはドイツ大使館の秘密文書や大使館員オットーから直接にもたらされる情報により、この条約の交渉過程や内容を2週間後にスクープしている。

さらに当時の平沼内閣では日独軍事同盟を進めることが懸案であった。しかしこれは上記の不可侵条約で中断されたのであったが、翌1940年（昭和15年）に日独伊三国同盟として結実する。この条約の内容にはゾルゲ自身がドイツ大使館において参画したといわれており、その内容がソ連側に筒抜けになったことはいうまでもない。

1940年にはヨーロッパ戦線の動きが活発になりソ連としては三国同盟の内、日本の動きに強い関心を払うようになる。具体的には日本の兵器、飛行機、自動車、鉄鋼などの生産能力についてであるが、ゾルゲはドイツ大使館と宮城からの情報をもとに報告していた。

1941年（昭和16年）はラムゼイ機関の活躍がクライマックスとなった年であった。それは同年6月22日ドイツのソ連攻撃（バルバロッサ作戦）が始まったことであった。ゾルゲは大使に昇格していたオットーの側近ともいうべき私設情報官となっていたが、この作戦の内容を全て詳細にキャッチできる立場にあった。ゾルゲは、作戦が開始されるのは6月20日ごろであるとモスクワに投入される正確な兵力をそえて報告し、見事にそれは的中していたのである。

さて西からドイツ軍の破竹の進撃を受けたソ連にとって、一番の関心事はソ満国境における日本軍の動向であった。ソ連赤軍にとって日本軍が出てくるかどうかは、極東軍を西部に移動してドイツの猛攻を防ぐことができるか否かにかかっていたのであった。ゾルゲはなんとか日本軍の決定的な動きをモスクワに報告したかったのであるが、三国同盟を締結しているドイツとしては、ソ連極東軍を東部にはり付けようとして日本がソ連軍の攻撃を開始するよう日本政府を説得していた。当時日本のおかれた位置は大変微妙なものがあった。日本の国力からして、ソ連と英米両国に敵をかかえる両局作戦は不可能であった。しかし、全く資源のない日本にとって中国戦線が膠着状態にある中で東南アジアに進出（南進）して先ず資源を確保する道―それは英米と戦うということであるが―をとることが考えられていた。1941年（昭和16年）7月2日の御前会議においては日本陸軍の南部仏印進駐が決まったが、なお日ソ中立条約を維持しつつも日ソ戦の可能性をも捨てていないというもので、これにはゾルゲも困惑したと思われる。しかしこの仏印進駐を契機として日米関係が急速に悪化して対日経済封鎖がとられ、日本に対する包囲攻勢が次第に高まっていった。

ゾルゲは、日本の戦力を推定するうえで最も重要な事項の一つである石油の保有量につき、ドイツ大使館や尾崎、宮城からの情報により海軍2年分、陸軍1年半分、民間半年分とモスクワに正確に報告している。一方その頃からヨーロッパにおけるソ連軍が反攻に転じ、戦況は膠着状態となってきていた。したがってこの時点で日本の対ソ作戦の可能性はなくなってきていた。尾崎は、9月に自ら満鉄に出張して現地の日本軍の動静から対ソ戦の可能性はないと判断し、さらに近衛の側近を通して得た海軍の情報から南進政策がとられたことをはっきりと掴む。

これらを踏まえて10月に入るとゾルゲは、関東軍によるシベリア国境を越えてのソ連攻撃はないと報告しており、以後ゾルゲの関心は専ら日米交渉に向けられるようになる。そしてラムゼイ機関は10月中旬までに対米交渉の成果がなければ日米は開戦に踏み切るという情報を得て、これをモスクワに報告している。

## ◆第3節　「軍国日本打倒」の信念で行動した尾崎

最後になったが尾崎秀実についてもう少し付け加えておこう。ゾルゲは前に少し触れたがソ連を母国と仰ぐ生粋のコミュニストである。彼は尾崎に遅れること45分後に処刑されたのであるが、首にロープをかけられた時、彼は「コミンテルン万歳、ロシア万歳、赤軍万歳」と叫んだという。まさに共産主義に殉じたわけである。一方尾崎の場合は複雑である。昭和17年春の「国際諜報団」に関する司法当局の発表では尾崎が共産主義者であったことが強調され、共産主義が当局の弾圧で壊滅して、日本人のすべてが国家主義者、民族主義者となっていると思われる時に、尾崎は金銭のために国家のために機密を売った罪を押しつけるような存在ではなく、人格的に尾崎には全く非難すべきところはなかったと当局は認めている。当局としてはかくのごとき信念的な共産主義者が残存していたことに特別の怒りを感じていたのであろう。

一方ゾルゲ事件は、もっぱら近衛内閣を打倒して対米戦争を開始するための軍閥の陰謀に外ならぬという主張をする向きもある。尾崎は軍閥の犠牲者であって彼は戦争を防止しようとしていたが、外国人と協力してそうしようとしていたわけではない。そういう意味で尾崎は同情と尊敬に値するという見解すらある。如何であろうか。尾崎、ゾルゲ事件は軍閥に利用されたが決して軍閥の陰謀ではない。たしかに、それは第三次近衛内閣の打倒に巧妙に利用されたのは事実である。しかもこの事件の裁判は軍閥の干渉と圧迫下で行われた。このような大事件が極めて短期間に終結したのはそのためであることは否定できない。しかし、事件はあくまで軍閥のでっちあげた虚構ではない。

尾崎が国内の政治、経済、軍事上の秘密をゾルゲに通報したのは事実である。これは過失などではなく尾崎自身によってその意思に基づき行われたのである。尾崎は上海時代にコミンテルンの人物であったゾルゲと知り合った。その後ゾルゲは来日したが、ゾルゲはナチス・ドイツの日本大使館員であった。そして尾崎とゾルゲは米国帰りの共産主義者、宮城与徳を通じて再会する。その際ゾルゲは彼の特殊な任務について尾崎の協力を求める。それを承諾することについて尾崎は深刻に懊悩する。彼の信念は現在の帝国主義日本、軍国日本こそ打倒しなければならない対象であった。そのために彼はゾルゲへの協力を決意したのであった。

たしかに尾崎は祖国を売ったことは間違いない。しかし前述の軍国日本、帝国主義日本を倒すために行動したのであって、もし祖国の意味が日本国民の圧倒的多数である勤労大衆を指しているとするならば、尾崎は断じて祖国を売ったわけではないと主張する人もある。尾崎は祖国の繁栄のために命をかけて行動したのではないか。また彼が闘ったのは、これから起ころうとする戦争に対してだけではなく、すでに行われている対支戦争に対しても闘った。

彼は日本の起こした帝国主義戦争である対支戦争を内部から崩そうとして、時の為政者や軍人達の間に入り込み支那問題の評論家として日本の対支政策に影響を与えるため懸命に政治活動を展開した。彼の考え方は一貫して日本帝国主義の敗北、すなわち中国の勝利であった。尾崎が敗北主義者といわれる由縁である。しかし、尾崎は日本国民を愛する愛国者であるが、中国国民にも一方ならぬ思いを抱いていた。それは植民地台湾で18年間育ったところにおそらくルーツがある。

尾崎は近衛のブレーンとしてしきりに日本帝国の南進を進言した。南進するということは巨大な英米の勢力と激突することである。南進によって、共産主義ロシアは救われるかもしれない、それこそが彼の望んでいたことであろうが、英米と戦っておそらく日本の勝つ見込みはない。賢明な尾崎はおそらくその先まで読んでいたであろう。

これも敗北主義者尾崎といわれるかもしれないが、英米との戦いに敗れ軍国日本は亡び、その後どうなるかということについて、どの程度まで彼が読んでいたかは今となってはわからない。

## ■おわりに

最初に戻るが、彼が獄中から妻、娘に宛てて書き残した書簡集「愛情はふる星のごとく」について最近本当に何十年振りかに全部ではないが読み返してみた。獄中で妻、娘を思いやる細やかな愛情、そして迫りくる裁判の最終結果への思いなど、あらためて感激したのであった。

第20話

# 問題点の多い制度や組織、会員選出など
# 「日本学術会議」を考える

2020年10月26日

菅首相は日本学術会議が推薦した新会員候補105名の内、6名を会員に任命しなかった。この処置は大変反響を呼び、大新聞においてもそれはおかしいと頭から否定する朝日新聞、毎日新聞に対し、産経新聞、読売新聞は肯定、日経新聞はどちらかというと肯定するが、私の見たところ余り事をかまえたくないという態度である。

さて、これを読んで頂いている皆さんも、この「日本学術会議」とは何か、はっきりと知っている人は少ないのではないかと思う。かくいう、日々の新聞には相当詳しく目を通している私ですら、この存在は知っていたが、はたしてどんなことをやっている団体なのかよく存じていなかった。

# 第一章　日本学術会議とは

## ◆第1節　概要

日本学術会議とは、日本の国立アカデミーであり、日本科学界の代表的な研究者らをメンバーとする内閣府の特別な機関の一つである。この機関は科学の向上ならびに発展を図り、行政、産業および国民生活に科学を反映、浸透させることを目標としている。さらに、日本学術会議法においては首相直属の組織であり、独立して科学に関する重要事項の審議を行うと定められている。その経費については国の予算等でまかなわれるが、その予算総額は約10億円である。

会員は２１０名であるが、「優れた研究、業績がある。」と学術研究団体から推薦された会員候補者のうちから選ばれた２１０名の会員と、約2、０００名の連携会員により構成されている。

会員の任期は6年で、3年毎に半数が入れ替わる。会員は再任できないことになっている。定年は70歳である。会員は、会員の意見を参考にして学術会議が新会員を推薦し、内閣総理大臣が任命する。

# 第二章　日本学術会議の問題点

## ◆第1節　会員選出方法の問題

現在の推薦制度が始まったのは2004年以降で、それまで会員は、研究者による直接選挙で選ばれていた。1984年から各分野の学術協会推薦に変更となり、2005年からは現会員が、次の会員を選ぶコ・オプテーション方式（現会員による新会員の選出）になっている。この現会員が会員を選ぶ制度については資質がある後継者を選ぶことに適していても、すでに会員となっている者と、思想や意見が相違している集団から選ぶことには適していないとの指摘がある一方、このようなやり方は「一部のシニアで偉い先生方の仲良しクラブになってしまっている」「一つの団体が権威を持って特定の考えをすべての研究者に押し付けている」「各大学や機関は学術会議の圧力に屈せず、研究者の自由と権利を守ることを第一に考えるべきだ」「このような非民主的かつ閉鎖的な組織が日本の学術界で最高の権威を持ってしまっていて、ひとたび声明を出せば大学や学界を委縮させ、研究者の自由な活動が奪われてしまうのは大変深刻な問題である」等、前々から会員、組織について問題が投げかけられていた。一方、1970年代から大学は「大学自治と称するカーテンによって閉鎖された特殊社会であり、そこを職場とする教師達には独特の甘えがあり、独りよがりの色合いが濃く、またおしなべて反権力的である」「このような環境は進歩的左翼が育つ絶好の場で、学術会議は主にこのようなところから送り出されたメンバーによって構成されている」という指摘があった。

現行の学術会議の新会員を、会議が推薦して首相が任命する制度が始まったのは2004年であるが、首相が推薦候補を任命しなかったのは初めてである。しかし、国費で運営される学術会議のメンバーは特別職公務員の身分を持ち、今回の処置について「国の関与は当然である」との見方もある。

## ◆第2節 学術会議が研究対象を選別するのは疑問

一方学術会議は2017年（平成29年）、科学者は軍事的研究を行わないとする声明を出した。これは1950年（昭和25年）、1967年（昭和42年）に出した声明を継承したものである。声明は「軍事に関する研究を行えば、政府による研究者への干渉が強まる」などとしているがどうであろうか?

また防衛省創設の研究助成費を批判しているが、これは技術的な優位を確保する日本の取り組みを阻害しかねない内容である。加えてこの声明の作成過程では、自衛隊の合憲性に疑義が出るなど、まさに浮世離れした意見が続出したのであった。

さて欧米諸国のような先進民主主義国でも、防衛当局と産業界が協力して先端技術を開発するのは当たり前のことである。軍事研究を行わないとする一方で、海外から集めた先端技術の軍事利用を積極的に進める中国から、多数の科学者を受け入れている事実には頬被りなのはどうしたことか?自民党の山谷えり子氏は「日本の平和を守るための研究を禁じる一方、中国には非常に協力的である」と同会議に疑問を呈している。

憲法15条は、その第3章「国民の権利及び義務」の条文で、その1項には「公務員を選定し、およびこれを罷免することは、国民固有の権利である」と示し、2項においては「すべて公務員は、全体の奉仕者であって、一部の奉仕者ではない」と規定する。そうであるならば、特別職の国家公務員である学術会議の会員が研究対象を選別すべきでないことは、自明の理ではなかろうか。

## ◆第3節　薄れていった政策関与の役割

さらに学術会議の重要な役割は、政府への答申や勧告、要望なのであるが、肝腎のこれらが10年以上出されていないことは、自らの役割放棄ではないであろうか。たしかに学術会議は、発足後しばらくは法律に基づく政府への勧告などで、影響力があったのは事実である。東京大学原子核研究所や国立極地研究所など、学術会議の勧告によって設立された研究機関も少なくない。しかし、1959年の政府による科学技術会議や、学術審議会の設置を受け、政策への関与は薄れていった。その結果、先に述べたように、勧告は、科学技術基本法の見直しなどについて2010年に出したのが最後で答申にいたっては07年以降出されていない。省庁からの審議依頼への回答も、過去10年にたった8回しかなされていない。

# 第三章　日本学術会議の会員の任命権

## ◆第1節　お手盛りが許されない公的機関構成員の任命

政府は、10月6日学術会議の推薦通りに会員を任命する義務を首相は持たないとする、内閣府の見解をまとめた2018年（平成30年）11月に作成した文書を公開した。これによると定員を超える候補者の推薦を会議に求め、首相がその中から任命することを認め、「首相は人事を通じた一定の監督権行使ができる」と明記している。

野党の連中は、会議が推薦した候補者を日本学術会議法に基づき、任命権者の首相が形式的に任命すべきであると主張するが、会議体のメンバーはあくまで御手盛りは許されない。一定の監査（フィルター）が必要である。国会議員は選挙により選ばれるし、その他公の機関の構成員は会員の内部の推薦だけで選ばれるのではない。過去において問題となった、株式会社の取締役を例に挙げると、これは商法では会社が推薦した候補者を総会で承認することになっているが、少し前までは全く有名無実で総会を牛耳る会社の意向通り決まっていた。しかし、何度かの商法改正により、また近年株主の質も変わってきて俗にいう「物いう株主」が増加して、必ずしも会社の意向通りにはなっていないのである。したがって学術会議の会員選考についても、今回のように政府の意向により任命拒否があってもこれは当然のことと思うのである。

## ◆第2節　大多数の国民が納得できる会員を任命

菅首相はその理由を「総合的、俯瞰的活動を確保する観点から判断した」と述べており、よく意味がわからないと反論する向きもあるが、私としてはよく理解できる。任命された会員について国民の大多数が納得できるものでなければならないということである。任命されなかった6名の方々の行動についてはこの後述べるが、国民は納得できるのではないか。ただ政府は従来の形式的な任命から、何故このタイミングで方向転換したのか、その理由をもっと語るべきであったのではないであろうか。また政府は、学術会議のやってきたことすなわち中国よりの行動などについてもっと広く国民にPRする必要があったと思う。

具体的には、国内外の環境の変化についてどのような考え方を持ち、いかなる理由により従来の一律的だった任命方法を変えたのかということである。これについては我が国を取り巻く安全保障環境が悪化する中、国民の生命、財産と安全を守る防衛研究に異議を唱え続ける学術会議こそ、国益を害しているのであるから、この際はっきりと従来からのやり方を変更したと断言すべきであった。

しかも先述した通り学術会議は、2015年（平成27年）9月に中国科学技術協会との協力促進を図ることを目的とした覚書を締結している。軍事研究を行わないとしながら、学術研究の軍事転用を積極的に進める中国との学術協力を行うのは背信行為であり、まさにダブルスタンダードといわれても仕方がない。一方で同会議は、政府の4兆円の研究予算配分に一定の影響力を持っている。学術会議が大型研究プロジェクトに関する「マスタープラン」

を策定する。文科省はこれを参考にして優先的に研究計画を決める。政府関係者の話によると、学術会議は安全保障分野への予算配分に極めて慎重で、日本の防衛装備の技術開発が進まず中国に遅れを取る原因は、ここにあるといっている。中国でも米国でも軍装備は官民合同でやっている。首相は、正直なところ産業界と防衛省が一体となって軍事問題に取りかかれという提言こそ、学術会議に求めているのであって、今回会員になれなかった連中が「理由は全くわからない」などと言っているのはナンセンスという他はない。

今回の件で、学問の自由への侵害という批判が大々的に行われているが、学術会議のメンバーに任命されないことが、そもそもどうして学問の自由の侵害なのか理解できない。学問は個人個人が行うものであるが、会員にならなければ自由な研究ができないなど絶対に有り得ない話である。

もう一つ批判の中で、菅首相の人事介入との批判もある。たしかに学術会議法で「独立して職務を行う」と規定があるが、会員は広い意味で行政機関の一員ではないか。したがって首相の下の行政機関である学術会議において、学術会議が推薦する会員をそのまま任命する方法こそ間違っており、政府側が責任をもって人事を行うことこそ当然の行為と思う。

## ◆第3節　日本学士院へのステップではない

余談になるが、我が国の国立アカデミーとして、文部科学省の特別機関に日本学士院という組織がある。この組織は1879年（明治12年）に創られた初代会長は福澤諭吉という、我が国最高の特別機関で「学術上功績が顕著な科学者を優遇するための機関として、学術の発達に寄与するための事業を行う」とされている。会員は終身で定員は150名。人文科学部門と自然科学部門があり、合計7分科に分かれている。死亡により欠員が出た場合は、各分科の会員の選挙で選ばれる。会員は特別職の非常勤国家公務員であり、年金250万円が授与されている。学士院は功成り名をとげた学者の集団ともいえるが、それなりに毎月定例研究会がもたれ、活動している。今回の日本学術会議の会員問題が発生した時、勉強不足のテレビの解説者が両者を混同して間違え、日本学術会議の会員には250万円の手当が支給されると発言して物議をかもしたのであった。

これは勘繰りであるが、日本学術会議の会員になりたがるのは、将来の日本学士院会員へのステップとして考えているのではないかと疑いたくなる。

## ◆第4節　就任が見送られた6名の人達

さて、今回学術会議が推薦した105名の内、6名が就任を見送られたわけであるが、この6名がはたしてどのような方々なのかはっきりとさせておきたい。この6名に共通するのは、集団的自衛権の行使を限定的に容認した安全保障関連法など安保、治安立法に反対した人達である。以下詳述すると、

•1．東京大学　宇野重規教授（政治思想史）

2013年に成立した「特定秘密保護法」に反対して、また「安全保障関連法案に反対する学者の会」呼びかけ人。

•2．早稲田大学　岡田正則教授（行政法学）

「安全保障関連法の廃止を求める早稲田大学有志の会」の呼びかけ人で、沖縄辺野古基地を巡り政府に抗議する声明を発表。

●3．京都大学　芦名定道教授（キリスト教学）

「安全保障関連法に反対する学者の会」や、安保関連法案に反対する「自由と平和のための京大有志の会」賛同者。

●4．東京慈恵会医科大学　小沢隆一教授（憲法学）

２０１５年7月13日の安全保障関連法案の特別委員会において「憲法9条のもとで個別的、集団的を問わず自衛権の行使であっても戦争や武力の行使はできない」と主張。

●5．立命館大学　松宮孝明教授（刑事法学）

２０１７年6月1日の組織犯罪処罰法改正案に関する参議院法務委員で、「戦後最悪の法案立法、これにより市民生活の自由と安全が危機にさらされる」と批判。

●6．東京大学　加藤陽子教授（日本近代史）

「立憲デモクラシーの会」呼びかけ人で改憲や「特定秘密保護法」に反対し、左翼擁護の発言が多い。

以上が就任を拒否された学者のプロフィールであるが、これをご覧になってどのように思われるか。就任を拒否された全員が左翼の学者で、日本を亡国に導くことを是とする面々であることに気づかれたと思う。

# 第四章　今後の日本学術会議

## ◆第1節　欧米のアカデミーの運営方法

元々現在の日本学術会議の存在自体がおかしい。欧米にも「アカデミー」と呼ばれ、政府への助言、提言を行う科学技術団体は各国にあるが、我が国の学術会議とは異なる点が多い。学術会議が政府機関なのに対して、米科学アカデミーは民間非営利組織であり、フランスの科学アカデミーや英国の王立協会も非政府組織（ＮＧＯ）であり、欧米の組織は独立性が高い。資金の支援を受ける団体もあるが、予算に国費が占める割合はほとんどが30％～50％程度で、寄付や基本財産の運用益、財団からの助成金などにより運営されている。

会員が特別職の公務員というのは日本だけで、欧米では会員は全員民間人で、トップのみに報酬が支払われる組織が大半である。会員の選出方法は現会員が推薦する方法が多く、終身会員が中心となるため審査には研究の成果などの学術的な功績に重点がおかれているため、人選を巡る批判はほとんどないらしい。

## ◆第2節　学術会議のあり方を検討する契機

今回の新会員問題を契機に、政府は会議のあり方を検討することになった。かつて橋本龍太郎氏が首相の時、行政改革の一環として日本学術会議の改組が検討されたことがあったが、実現せず今日に至っている。

今回菅首相の主導により、推薦された学術会議会員の一部が就任を拒まれたのであるが、前々から学術会議についてはその組織の在り方、会員の選出方法等について問題ありとして改めるべきであるという考えがあったわけであるから、政府としては、遅まきながら会議の内容を十分に吟味して、改正の方向を打ち出してから人事に手をつけた方がよかったのではないであろうか？しかし菅首相としては、我が国を取り巻く緊迫した状勢の中で就任早々のことでもあり、少しでも早く我が国を亡国に導く連中の会員就任を阻もうとしたのであろう。

## ■おわりに

最後になったが、今回の日本学術会議会員問題についてのメディアの取り上げ方について、一言触れておきたい。先にも述べたが本問題に関しては五大紙においては「朝日、毎日」対「読売、産経、日経」とはっきり主張が分かれた。

特に毎日新聞は連日政府の責任を追及し、学問の自由の侵害と声を大にして叫んでいる。具体的には本問題を主題とした社説を10月の半ばまでに4回も載せている。

新聞の社説はその時点での我が国にとって一番重要な問題を題材として取り上げるべきで、このようなやり方は新聞としての存在意義が疑われても仕方がない。このままでは益々新聞として斜陽の道をたどるのではないかと思っている。

第21話

## 我が国は中国に毅然と対決すべし

# 尖閣諸島の防衛について憂う

2020年11月28日

私は2012年8月22日付の金言（第1号）で、「竹島、尖閣への弱腰姿勢を憂う」と題して尖閣諸島、竹島に関する日本政府の弱腰姿勢を論じたのであったが、あれから8年以上経過した今も尖閣に対する中国の攻勢はとどまることを知らず、今年に入ってからは尖閣の海域に対する中国海警局巡視船の侵入が、毎日のように行われている。

具体的には本年4月14日から8月2日まで連続111日に亘り、中国公船が尖閣諸島周辺を航行し、我が国の領海内にまで長時間の侵入を繰り返し、尖閣周辺で操業している日本漁船を追尾するなどの、許されざる行為にも出ている。さらに8月16日には中国側が設定している禁漁期間が明けるとともに、膨大な中国漁船が尖閣諸島周辺海域にも出現して、操業を行っている。

# 第一章　尖閣諸島をめぐる領土問題

## ◆第1節　我が国が抱える三つの領土問題

さて、我が国が直面している領土問題は先ずロシアとの間の北方領土問題。これについては1945年のソ連の侵略により国後島、択捉島、歯舞群島、色丹島の四島を失って現在に至っているのであるが、歴代の首相はこれの返還を求めている。しかしロシア（ソ連）は巧妙に拒否を続け現在に至っている。安倍前首相はプーチン大統領と、過去7年間に11回も訪露して実に27回の首脳会談を行い、北方領土問題解決に積極的に取り組んできたが、誠に残念ながら経済協力を進めながら領土問題を解決する「新しいアプローチ」を打ち出し、国是だった「4島返還」を「2島プラスアルファ」に転換して交渉を進めたが、このような努力もロシアには全く通じず、直近では歯舞、色丹2島の返還をうたった1956年の日ソ共同宣言を基にした交渉にさえも、「ゼロ回答」というロシアの強硬姿勢により現在に至っている。

二つ目の領土問題は韓国との間の竹島の問題である。竹島は戦前から島根県に属する我が国の領土であって、戦後発効したサンフランシスコ平和条約においても日本帰属が確定していた。ところが当時の韓国大統領、李承晩が一方的に海洋主権宣言を行い、竹島の領有を宣言して、同島を自国の領海（李承晩ライン）に取り込み、以後武力によって不法占拠支配を続けており、我が国の施政権が及ばない状態が続いている。

三つ目が今回述べている尖閣諸島の問題である。

### ◆第2節　尖閣諸島を領土化した歴史的経過

尖閣諸島はその存在する位置から明治時代（19世紀末）から清国領なのか、日本領なのか微妙な立ち位置にあった。しかし、石垣島や宮古島、沖縄本島の糸満の漁民などがこの周辺海域で活発な活動を行い、漁場として開拓、活用していたのであった。そして沖縄県は１８９３年無人島を含む海域での漁業秩序を確立するため、尖閣諸島を沖縄県の行政区内であることを認めてほしいという内容の要請を日本政府に行った。これは沖縄県が、この島々を実効支配すべきであるという理由であったが、同時に沖縄県と清国との間にある島嶼がいずれに属するのか、はっきりさせておきたかったからである。１８９５年1月、日本政府は国際法の原則である「無主地先占」に基づき、正式に尖閣諸島を日本領に編入して沖縄県の一部とした。この際当時の清国政府はこれらの島々に格別の配慮を示さなかったため、日本政府はこのような処置をとったのであった。尖閣諸島は魚釣島、久場島、南小島、大正島の四つに分かれているが、政府はこれを国有化した。そして大正島を除く4島は、福岡県の民間人である古賀辰四郎氏に30年間の期限で無償貸与された。この時点から日本による実効支配が始まったのであった。

古賀氏は政府より開発許可を得て、鰹節工場を経営し、さらに多額の資本を投じ、桟橋、船着場、貯水場などのインフラ整備を行った。こうして最盛期には同島には99戸２４８人の日本人が暮らしていた。

日本政府は、尖閣諸島が歴史的にも一貫して日本領である南西諸島の一部を構成していることを確認しており、1885年頃から沖縄県を通して何度も現地調査を実施し、さらに前出の民間人古賀氏は全島の探検活動を行い、尖閣諸島が無人島であるだけではなく、清国の支配が及んでいる痕跡がないことを確認したうえで、日本領土として正式に編入したのであった。もう一つ特記しておかなければならないのは、尖閣諸島は日清戦争の結果、日本が清国から割譲を受けた「台湾及び澎湖諸島」には含まれていないということで、これは対中国に対して極めて重要なことである。

その後南洋諸島からの安価な鰹節が出回り出して、同島の経営を圧迫した。その結果1940年に燃料の欠乏などにより工場は閉鎖され、尖閣諸島は再び無人島となった。なお島の所有権は1972年の沖縄返還後に別人に譲渡され、2012年に久場島を除く3島は国有地となった。

このように1885年以来、我が国が正当な手続きを踏み無人島であった同諸島を我が国の領土としたことは、国際法上からも全く問題ない。さらに1951年のサンフランシスコ講和条約において、同諸島が、日本が放棄した台湾、澎湖諸島、西沙群島に所属していない沖縄の一部であることが確認されている。

### ◆第3節　中国、台湾の姿勢

一方中国の姿勢は、1953年1月8日付の中国共産党の機関紙、人民日報で「当時米軍によって占拠されていた琉球群島について、当地は中国（台湾）と日本の九州島西南の海上に位置する。そこには尖閣諸島、先島諸島、大東諸島、沖縄諸島、トカラ列島、大隅諸島などの7つの島嶼からなっており」と紹介している。すなわち琉球諸島に尖閣諸島が含まれていることを公然と認めている。これに対して中国側は2011年になって、この記事は日本側の資料を翻訳したもので、中国側が公式に認めたものではないとの反論がなされている。たしかにこの記事は、大隅諸島を琉球群島に含めるなど日本側から見ても正確さを欠くが、肝腎の中国が「自国の固有の領土」と考える島々を、この時点では中国の固有の領土とは認識しておらず、沖縄の人々の生活圏であると認めていたと思われる。

さらにアメリカの軍政下のもとで米軍は、尖閣諸島の二つの島、久場島、大正島を射爆場として使用していたが、もし仮に中国が当時から尖閣諸島を固有の領土として認識していたとするならば、己の固有の領土をアメリカ帝国主義が侵しているとの抗議があってもおかしくなかったのであるが、そのような事実は全くない。さらに特記しておかなければならないのは、米軍の施政下でも沖縄の漁民は、返還前の1950年代にも尖閣諸島で鰹節の半製品の製造も行っている。さらに冬期においては尖閣の海域でカジキ漁を始めとする大掛かりな漁を行っていた。一方台湾漁民は尖閣諸島近海が好漁場であったため、たびたびこの場所での操業を行い日本の漁民との間で摩擦が生じていた。さらに台湾の漁民は無人島であるのを良いことにして、島に上陸してアホウドリやカツオドリを密漁し、これらの島は激減したといわれている。

そのような既成事実が重なることで、当時から地元の南西群島の住民の間では、第二の竹島になると危惧されるようになった。これを受けて当時の琉球政府は尖閣諸島が石垣市に属することを前提に、警察本部の救難艇によるパトロールを実施し、台湾漁民の退去を命じるなど、積極的な活動を行うようになった。そして1970年7月には領域表示板を立てている。

# 第二章　石油資源の発見で潮目が変わる

## ◆第1節　中国、台湾の主張に変化

1968年になって、ここに大きな問題がクローズアップされたのである。すなわちこの年国連が行った東シナ海における海底調査の結果、ここの大陸棚には大量の石油資源が埋蔵されている可能性が指摘され、1970年には台湾が領有権を主張しはじめ、これに中国が追随したのであった。1969年から1970年にかけての国連の海洋調査では、推定1095億バレルという、イラク一国の埋蔵量に匹敵する膨大な量の石油があるとの可能性が報告された。1970年に台湾の公的機関である水産試験所の船が魚釣島に上陸して、国旗を立てるという事件があったが、琉球政府はこれを撤去したのであった。そして1971年6月に台湾が、12月に中国が相次いで領有権を主張したのであった。

一方長年にわたる祖国復帰運動が実り、1972年（昭和47年）5月15日沖縄は日本に復帰した。台湾、中国の領有権主張は沖縄返還より前だったのである。彼等の主張の根拠は、尖閣諸島は中国側の大陸棚に接続しており、またこれはとても根拠にならないことであるが、古文書（?）に尖閣諸島を目印として航海に役立てていたという記述がみられることで、最も古くから同諸島の存在を把握していたという解釈によっている。すなわち中国人が先に発見したから領有権を主張できるというものである。ただし、１９７０年以前に用いられた地図や公文書によれば、両国とも日本領であると認識していたことは明らかで、米国の沖縄施政時代にも両国とも米国統治に抗議したことは全くない。したがって急に領有権を主張しだした理由は、石油発見以外に考えられない。そのため国際判例では、以前黙認した関係に反する主張は後になって許されないとする、「禁反言」の法理が成立するといわれている。我が国は「尖閣諸島は歴史的にも国際法上も明らかに日本の領土であり、かつ実効支配していることから領土問題は存在せず、解決すべき問題はそもそも存在しない」という立場である。

## ◆第２節　国境問題を固定化させた日中平和友好条約

中国が自国領であると主張する根拠に、海底油田という要素の他に中国で流布されているものとして、日本が台湾（中華民国）を捨てて中華人民共和国との国交樹立締結に走ったことに怒った台湾が、国交締結前日に嫌がらせとして提出した領土主張に対し、機を見るに敏な中華人民共和国が同じ日に領有問題の主張を追加したところ、これを当時の国交交渉担当であった福田首相、大平外相が「棚上げして後世に託す」という玉虫色のまま国交を回復させ、今日の領土問題の主張に日本側にとってのマイナス材料をつくってしまったというのである。

１９７８年12月に日中平和友好条約が締結されたが、それより少し前の4月、武装した１００隻を超える中国漁船が海上保安庁の退去命令を無視して領海侵犯を繰り返した。日本側が抗議すると中国側は、事件は「偶発的」なものであると応えた。１９７８年8月鄧小平は「再びこのような事件を起こすことはない」と約束し、福田内閣は日中平和友好条約に調印したのであった。この時鄧小平は「我々の時代では知恵が足りないので話し合いはまとまらないが、次の世代ではもっと良い知恵も浮かんでくるであろう。その時には誰もが受け入れられる解決方法が見い出されるだろう」と発言している。しかし、これは実質的には棚上げで、何時になるかわからない次世代に問題を託すとしながらも、長期に亘って尖閣諸島問題を国境問題として固定化することに成功したのであって、これこそ国境問題が未解決として中国が迫ってくる根拠となっている。

もう一つ、台湾の主張に触れておきたい。先にも触れたように尖閣諸島は、1895年の日本による台湾併合により日本に領有権が移ったというのが台湾の公式見解である。しかし、1970年以前に用いていた台湾の地図や公文書には、はっきりと尖閣諸島は日本領であると認識されており、アメリカが統治していたことにも一切抗議しておらず、急に領有権を主張し出したのは国連の調査結果が発表されてからである。しかし台湾の狙いは領土より漁業権にあると思われる。

# 第三章　棚上された尖閣諸島問題の再燃

## ◆第1節　きっかけは中国漁船の衝突事件

さて尖閣諸島の領有の問題についての経過は前記の通りであるが、中国が日本の固有の領土である同諸島に露骨な干渉を示し出したきっかけは、2010年9月7日に起こった中国漁船衝突事件であった。この事件は同日午前、尖閣諸島付近で操業していた中国漁船と、これを違法操業として取り締まりを実施していた海上保安庁の巡視船との間で起こった事件である。詳しく述べると尖閣諸島付近の海域をパトロールしていた巡視船「みずき」が中国籍の不審船を発見して退去を命じたにもかかわらず、同船はそれを無視して違法操業を続け、その後逃走中に巡視船「みずき」と「よなくに」にわざと衝突して、この2隻を破損させたのであった。海上保安庁は直ちに同漁船の船長を、公務執行妨害で逮捕して取り調べのため石垣島へ連行、また同船および残る船員をも石垣島へ回航して事情聴取を行った。そして翌々日の9日、那覇地方検察庁石垣支部に送検した。中国政府はこれに対し、中国固有の領土であると猛烈に反発し、船長、船員の即時釈放を要求した。これを受けて中国漁船を返還するとともに船員を帰国させたが、船長については国内法にのっとり起訴することとし、19日（10日の拘留期限）の延長を決めた。ところがこれに対して中国側はさらに強く反発して、即座に日本に対してレアアースの輸出禁止、中国在住の邦人拘留など直ちに報復に打って出たため、当時の民主党政権の菅首相はすっかり動揺してしまい、船長を釈放してしまったのが一連の事件のあらましである。

当時中国漁船ははっきりと領海を侵しており、なおかつ衝突の記録動画によれば意図的な中国漁船の犯行であることは明らかである。当時野党であった自民党は「国内法、領土を守るという国家として当たり前のことを放棄した」として菅内閣の弱腰外交を糾弾している。

## ◆第2節　野田内閣は尖閣諸島の国有化を決定

事件の起こる前々年2008年頃から、中国の海洋調査船が尖閣諸島の領海に侵入していたが、この2010年の事件以降中国の公船が領海侵犯を繰り返して、尖閣諸島の日本の実効支配を打破するための攻勢を強めてきた。それらの動きを受けて、2012年、当時東京都知事であった石原慎太郎氏がワシントンにおけるヘリテージ財団で行なった演説の中で、尖閣諸島を東京都が地権関係者から買い取ることで合意したのを、明らかにしたのであった。石原氏の意図は、これにより島に港湾施設を整備して日本の実効支配を確実にするためのものであった。東京都は購入資金を捻出するため、寄付金を募集して実に14億円強の資金が集まった。日本人の愛国的な行為には頭が下がる。

東京都は「購入する前に上陸調査をする必要がある」として、当時の民主党政府に上陸を申請したが、中国を慮る民主党政府はこれを却下したので、しかたなく船舶をチャーターして洋上からの視察を行った。当時の丹羽宇一郎駐中大使は「購入は日中関係に重大な影響を及ぼす」と発言し、与野党から批判を浴び、その後更迭された。

この東京都が購入する計画に対して中国政府は激しく反発したため、当時の野田内閣は反発を和らげ、かつ今後安定的な維持管理をはかるため、国有化を決定したのであった。これに対して中国政府は日本政府の意図とは全く別方向に傾き、メディアを含めて大々的な反日抗議活動を展開したため、日本人や日系関連の工場や施設に対する破壊、また暴力的なデモが展開された。

## ◆第3節　エスカレートする中国船舶の領海侵入

中国が尖閣周辺の日本領海内や接続水域に監視船を派遣し始めたのは、２００８年12月であったが、２０１０年9月の漁船衝突事件以降は、ほぼ毎月のペースで中国公船が派遣され、領海侵犯を繰り返しており、年を追ってその頻度は増している。特に本年になってからの領海接続水域への侵入は11月になって年３００回を超えた。このような中国の動向を「問題は尖閣諸島が中国の手に落ちるかどうかではない。何時落ちるかである」と評する向きもある状況で、中国の日本に対する圧迫ぶりはこのような段階にまできているのである。

海上保安庁は水産庁を通して漁師たちに危険水域には漁に出ないように自粛を求めているが、本来なら海上保安庁が守ってでも漁をさせるべきなのに、中国の出方をおそれて過剰に配慮しているといわれても仕方がない。一方外務省も同様で、「対抗している」と繰り返すが、現実には「遺憾」というばかりでこれではなめられるばかりではないか。

尖閣諸島周辺に現れる中国の公船は長い間2隻体制であったが、２０１７年（平成29年）から4隻体制になっている。しかも5、０００トンクラスと、海上保安庁の1、０００トンクラスに比べて大型化しており軍艦なみの大型の機関砲を装備した船まである。また以前は4隻がまとまって動いていたが、昨年後半頃から2隻ずつに分散して行動するようになり、これに対抗するためにはより多くの巡視船が必要になる。現在石垣管区の巡視船12隻で対応しているが、日本側の負担は増すばかりである。先日國民會館で講演していただいたジャーナリストの井上和彦氏は、当面の対策として自衛隊艦隊の艦艇は30年で退役してスクラップ化されるが、諸外国は50年であり、また一般自衛官の定年は50歳代であるから、現役の定年期限を延長して艦船とともに尖閣に投入してはと提案されていた。名案と思うが如何であろうか。

さらに、ここ数年の中国側の動きは10日に1日程度のペースで領海に侵入して数時間居すわった後、接続海域に出るというパターンであったが、本年5月、突如としてこのパターンからはずれ、日本の領海に侵入してそこで漁をしていた日本漁船を追尾するという事件が起こり、この時は海上保安庁の巡視船が間に入り接近を食い止めたが、その後も中国船は同じような行動を繰り返している。また領海内に居坐る時間も増え、直近では50数時間にも及んだ。

また中国外務省は「日本漁船が中国の領海内で操業したため、取り締まりを行い海域から出るよう求めた」と批判した。これは「我々は主権を行使しているものである」と主張していることになるが、いずれも海上保安庁の船が間に入って接近を防いでいるので取り締まりは行われていない。しかし、これは中国政府があたかも取り締まりが行われ、主権を行使したかのように発表して、あたかもこの海域が中国の管理する海であるかのように宣伝することを狙っているものと思われる。

このように中国は、時間をかけて中国の公船がその海域にいるという既成事実を積み上げて、自己に都合のよい情報発信を繰り返して尖閣を手中にすることを目論んでいる。最近中国は日本の「海上保安庁法」にあたる「海警法」を改正して、中国海警局の武器使用規定を新たに設定し、具体的には日本漁船に対する発砲を認めるとのことが盛り込まれた模様である。

## ◆第４節　我が国は中国に毅然と対処すべし

さて、我が国は現在中国がとっている「戦わずして勝つ」という孫子の兵法の軛から逃れるため、毅然とした対処を行うべきである。それは先ず日本の実効支配体制の確立である。実効支配が行われていなければ、「日米安保条約第５条」は適用されない。アメリカは尖閣有事の際、日米安保は適用されるといっているが、現状では心許ない。具体的には日本人を尖閣に住まわすことである。そして漁民のための臨時の船着場、簡易宿泊施設、気象観測所、ヘリの発着基地などを整えることである。また中国の経済制裁をかわすため、日本の経済依存度を低くする努力をし、逆に中国の対日依存度を高める品目を作っておかなければならない。

次に日本は世界に対し、１８９５年以来尖閣諸島が日本の沖縄県に属していることをもっと広く世界に積極的に喧伝すべきである。現在の欧米の受け取り方は正直「尖閣？ああ、あの岩か」といった感覚である。実際尖閣は竹島と比べ物にならない大きな島であり、台湾防衛とも密接にかかわっている。日本政府は、具体的な実行支配に消極的で先般も尖閣の生物等の調査についても上陸を許さず、衛星の利用による調査にとどまった。

## ■おわりに

最後に尖閣諸島ないしその海域で軍事衝突があった場合、米国の次期大統領は日米安保条約第5条に基づき日本支援を確約しているが、そのための協議体制を至急立ち上げておくべきである。

　いずれにしても現状では政府は実効支配のための有効な手を何等打っていない。このままの状況では尖閣が中国の手に落ちるのは時間の問題である。

　さらに憂慮すべきは、中国の次の狙いは沖縄、そして台湾であることは目に見えている。そういう意味で、ここで日本が積極的に動けばアメリカも腰を据えて対処せざるを得ないと考える。

著者略歴

**武藤 治太**（むとう　はるた）

昭和12年生まれ。

昭和35年慶応義塾大学法学部法律学科卒業。

同年大和紡績株式会社入社。平成4年代表取締役社長、平成15年代表取締役会長、平成20年相談役、平成25年最高顧問、平成30年退任。

現任　公益社団法人國民會館会長（昭和53年〜）、一般社団法人清風会（京都国立博物館）理事長（平成22年〜）。

平成11年藍綬褒章受章。

國民會館の主張「金言」第2巻

**武藤治太の「思うまゝ」**

（國民會館叢書　別冊）

---

2021年9月16日　初版第1刷発行

定価　¥1500円+税

著　者　武藤治太

発行者　公益社団法人　國民會館

代表者　武藤治太

編集人　長谷川敏昭

543-0008　大阪市中央区大手前2－1－2

國民會館・大阪城ビル12階

TEL　06－6941－2433

FAX　06－6941－2435

発売所　株式会社　新風書房

代表取締役　福山琢磨

543-0021　大阪市天王寺区東高津町5－17

TEL　06－6768－4600

FAX　06－6768－4354